FÉAR SUAITHINSEACH

FÉAR
SUAITHINSEACH

le

NUALA NÍ DHOMHNAILL

AN SAGART
Maigh Nuad
1984

Do Ayşe
a dhein fíon den uisce

Clár

Réamhrá

Scoláire bocht a bhí ag siúl roimis agus nuair a bhí drúcht is déanaí na hoíche ag teacht chuaigh sé isteach i dtigh agus ní raibh éinne istigh sa tigh roimis ach garsúinín óg agus é a d'iarraidh císte a bhácáil in oigheann os cionn na tine agus fuair an scoláire bocht boladh an dóite.

"Tá do chíste ag dó, a gharsúinín," a dúirt sé.

"Tá, mhuis," a dúirt an garsúinín, "agus dhá dhó sin a ceathair," dúirt sé.

"Thánn tú ana-dheisbhéalach ar fad," arsan scoláire bocht leis, "b'fhéidir go neosfása dhúinn cathain . . . cathain a thiocfaidh an chaint don bhfiach dubh."

"Is fuirist dom, mhuis," a dúirt sé, "nuair a thréigfidh na fiolair na gleannta, is nuair ná fanfaidh an ceo ar na cnoic, nuair a chaillfidh na sagairt an tsaint, sin é an uair a thiocfaidh a chaint don bhfiach dubh."

"B'fhearra dhuit teacht in éineacht liom ar fad," arsan scoláire bocht leis.

"Ó, a Dhia thrócairigh," a dúirt sé, "ní raghad-sa in éineacht leat mar níl agam ach a bhfuil de bhalcaisí ar mo chorp," a dúirt sé, "sin a bhfuil agamsa anois agus ní fhéadfainnse dul in éineacht le héinne," a dúirt sé.

"Déanfad suas tú," arsan scoláire bocht leis, "agus téanam ort," agus do dhein agus bhailíodar leo. Chuir sé culaith bhreá éadaigh air agus gach aon ní; agus ceann des na tráthnóntaí, bhíodar ag déanamh isteach ar bhaile — agus gan dabht d'fhanfaidís i dtigh éigin gach aon oíche, nuair a thagadh an déanaí théidís isteach i dtigh éigin, — ach dúirt an scoláire bocht leis: "Fanfaimis anso istigh anocht, bíonn fáilte romham-sa anso i gcónaí agus is cuma leothu," a dúirt sé, "má thugaim liom tusa."

"Ó, an bhfuileann tú deimhnitheach?" arsan garsúinín, "ní maith liom bheith in aon áit," a dúirt sé, "ná beadh fáilte romham!"

"Táim deimhnitheach," arsan scoláire bocht.

Chuaigh sé isteach agus chuaigh sé ag caint le bean an tí agus dúirt bean an tí go raibh fáilte roimis é a thabhairt isteach, "ach tá droch-scéal againn duit," a dúirt sí, "tá m'iníon ag fáil bháis."

"An cailín óg san, ab ea?" a dúirt sé, "a bhíodh ansan ag freastal orm nach aon uair a dh'fhanainn anseo?"

"Sea, díreach, mhuis," a dúirt sé, "tá an cailín bocht ag fáil bháis."

Ach chuaigh sé isteach.

"B'fhéidir go bhféadfá rud éigin a dhéanamh di," arsa bean an tí leis.

7

"Dhera, ní fhéadfaidh mé dul thar mo dhícheall," a dúirt sé, "déanfad mo dhícheall."

Chuaigh sé go dtí an seomra, go dtí an gcailín agus d'fhan sé i bhfad Éireann ina teannta agus tháinig sé anuas agus chuaigh sé síos is chuaigh muintir an tí a chodladh. D'fhan an garsúinín is an scoláire bocht sa chistin agus shuíodar ar stól nó rud éigin cois na tine. Ach bhí sé ag caint leis an ngarsúinín agus dúirt sé leis an ngarsúinín go raibh an cailín ana-bhreoite.

"Dhera, tá an cailín ana-bhreoite," arsan garsún, "ach an bhfuil a fhios agat," a dúirt sé, "cad tá uirthi sin? — Chaill sí sin an chomaoine; thit sé bhuaithi," a dúirt sé, "nuair a bhí sí ina cailín óg agus ní dúirt an créatúirín le éinne é," a dúirt sé, "mar bhí náire uirthi, agus," a dúirt sé: "Dá raghfaí amáireach agus an áit a réabadh sa tseanasháipéal gur thóg sí sin a céad chomaoine," a dúirt sé, "nuair a bhí sí a sé nó a seacht de bhlianta, gheofaí an chomaoine fós ansan," a dúirt sé, "mar beidh paiste suaithinseach féir timpeall air. Ní mar a chéile é agus na sceacha agus an salachar eile in aon chor."

"Bhfuileann tú deimhnitheach?" arsan scoláire bocht leis an ngarsúinín.

"Ó, táim," a dúirt sé.

Ar maidin lá arna mhárach chuaigh sé ag caint le hathair an chailín is bhí sé ag insint an scéil d'athair an chailín.

"Nach fuirist é sin a leigheas," a dúirt sé, "ach tá an seanasháipéal san leagtha le fada," a dúirt sé agus, "bhí a fhios againn go raibh easpa sláinte uirthi le tamall anuas ceart go leor, ach is le déanaí a chuaigh sí chun deiridh ar fad."

D'imíodar leo agus thugadar leo sluaiste is corrán is sean-speal is gach aon ní is bhearradar na sceacha, agus ná feacadar an paiste beag suaithinseach féir agus ná raibh an chomaoine slán folláin istigh ann. Thógadar an chomaoine. Dúirt an garsúinín: "Caithfir-se í a thógaint ," a dúirt sé leis an sagart, "mar ní féidir linne deighleáil leis an gcomaoine ach is féidir leatsa," a dúirt sé, "le do mhéireanta agus caithfidh tú dul anois," a dúirt sé, "agus faoistin a thabhairt don gcailín agus tabhair di an chomaoine agus gheobhairse amach nach ghá dhi bac lena thuilleadh dochtúirí."

Sin é mar a bhí.

Thángadar abhaile. Thug an sagart faoistin thar n-ais don gcailín agus thóg sí an chomaoine agus d'éirigh sí aniar beo beathúch faoi mar a bhí sí riamh.

(Smut do scéal béaloidis inste ag Cáit "an Bab" Feirtéar.)

8

Mise an fia

"Mise an fia is féach cé leanfaidh mé,"
a deireann an giorria,
leath di ina hór is leath ina hairgead
maidin Lae Bealtaine.

Éiríonn an fhuil uasal in uachtar 'na leac ionat,
téann tú ina diaidh.
Tugann tú leat do chú, do sheabhac, t'each.
Beireann tú ar an ngaoth romhat

is ní bheireann an ghaoth atá i do dhiaidh ort.
Téann an láir bhán faoi scáth na cupóige,
teicheann an chupóg óna scáth,
téann an madra gearra isteach abhaile

is an mada rua chun a phluais féin,
ní nach locht ar an maidrín macánta.
Leanann tú an giorria isteach i liosachán
is níl éinne istigh romhat

ach seanbhean chríonna caite sa chúinne
a deireann nára theacht i do shaol is i do shláinte chughat.
"An bhfeacaís aon ghiorria ag teacht isteach anois?"
"Chonac; tá sí thíos sa tseomra.

Raghfainn síos ann is thabharfainn liom í
mura mbeadh eagla orm roimh do chuid ainmhithe.
Seo trí ribe de mo chuid gruaige
is caith ribe ar gach ceann acu

is beidh siad ceangailte, ansan cabhród leat."
Deineann tú rud uirthi.
Téann sí síos 'on seomra gan mhoill
is tagann sí aníos arís.

Tá iongnaí fada uirthi déanta de stíl,
tá seacht bpunt cruaidhe i mbarra gach iongan acu.
Tugann sí faoi tú a scrabhadh ó bhathas go sál
is leagann sí go talamh tú.

"Cabhair, cabhair, a chapaill, a chú, a sheabhaic,"
a bhéiceann tú ar t'ainmhithe.
"Ceangail, ceangail a ribe," arsan tseanachailleach
is bíonn siad ceangailte.

Stracann sí is stolann sí ó thalamh tú
go mbíonn tú marbh aici.
Buaileann sí lena slaitín draíochta na hainmhithe
is deineann bulláin scáil le hais an dorais dóibh.

Ach ná dein mairg mar níl aon bhaol ort,
ná dearmad go bhfuil deartháir agat.
Tá sé ciardhubh dubh in ionad do chuid finneacht
ach thairis sin is maith an té a d'aithneodh thar a chéile sibh.

Tógfaidh sé an geitire as an mbínsín luachra
tar éis lae is bliana
is chífidh sé na trí braonta fola in ionad na meala
is tuigfidh sé go bhfuil deireadh leat.

Leanfaidh sé an fia go dtí an liosachán
maidin Lae Bealtaine.
Buailfidh sé stiall dá chlaíomh ar a cliathán
is bainfidh sé stéig aisti.

Geobhaidh sé an chailleach istigh sa bhothán
is fuil ina slaodaibh síos léi,
aithneoidh sé gurb í an giorria í
is nach aon iontaoibh í.

Nuair a thabharfaidh sí dó na ribí
caithfidh sé 'on tine iad.
Déarfaidh sé gur gráinne salainn a bhí aige
faoi ndeara an cnagadh a chloiseann sí.

Raghaidh sí síos is tiocfaidh sí aníos
is na hiongnaí stíl uirthi.
Tabharfaidh sí faoi é a scrabhadh is a scríobadh
ach, faríor, beidh thiar uirthi.

"Cabhair, cabhair, a chapaill, a chú, a sheabhaic."
"Ceangail, ceangail, a ribe," a déarfaidh sí.
"Cheanglóinn cheana," a déarfaidh an ribe,
"ach mo thóin a bheith 'on tine áit a bhfuilim."

is boladh an dóite uaim." Béarfaidh an chú
ar a leathcheathrú. Bainfidh an seabhac an tsúil aisti.
Buailfidh an t-each í le gach aon speach
is bainfidh sé an mheabhair aisti.

Ansan teascfaidh an gaiscíoch an ceann den tseanachailleach
lena lann leadartha líofa
go bhfuil faobhar, fadhairt, is fulag inti
is slánóidh sé tú le buille dá shlaitín draíochta.

Dinnéar na Nollag

Tá béile mór na Nollag thart.
Bhíothars go fial flaithiúil orainn á scaipeadh.
Itheadh le faobhar is floscadh súp soilire,
turcaí, bágún, píóga is anois "mince tarts".
Ár mboilg lán, ár gcnámha ag lorg suaimhnis,
suímid scaithimhín eile thart faoin mbord.
Scaipeann coinneal na Nollag a sholaisín caol orainn
is lasann caortha craorag' an chuilinn go seoigh.

Comhairím a bhfuil i láthair. Táimid go léir ann
ó b'annamh dúinn bheith anois ar aon láthair amháin.
Tá na gearrcaigh óga le fada scaipthe
i mbun a gcuid neadracha féin; is í seo athchuaird an tseanáil.
Is déarfá go rabhais iata i gcás na n-éan teochreasa
i nGairdín na nAinmhithe leis an ngeoin is an chlibirt cheart; —
úrbhéal ar chuid againn, a thuilleadh dínn síos go gunail
le deoch is meidhréis, le callaireacht is creaic.

Go hobann tá ciúineas. Tá aingil ag gabháilt treasna
an dín; sa bhfolús ligeann duine éigin sraoth.
Bail ó Dhia a ghuímid ar ár dteaghlach beannaithe;
brúchtann gaoth aníos ó dhuine eile, gáirimid is deirimid
cé gur galáinte suas é gur síos is fearr é.
Táimid seanchleachtaithe ar na seananathanna
is cé nach mbaineann siad puinn níos mó lenár saol
táid i gcónaí againn ar bharra na teangan.

Éiríonn mo dheartháir is téann sé chun an dorais.
Deir sé gur dóigh leis gur chuala sé cnag lasmuigh.
Ach níl éinne ann, amuigh sa doircheacht
níl duine ná deoraí, níl Críostaí Mhic an Luain.
"Dhera, saighead a bhuail do chluais, tá na daoine maithe
ag siúl na gcnoc anocht aríst ní foláir.
B'fhearra dhuit teacht isteach is an doras a dh'iamh
go tapaidh ar eagla go bhfaighimis poc," arsa fear

na gcleas inár lár, is cloisim sa rí-rá
daoine ag caint ar Naomh Mícheál Ard-Aingeal
'ár gcosaint in am an chatha is conas a chuir
an phaidir seo clabhsúr ar eagla roimis na mairbh

12

is leis na deamhain aeir is le sluaite uile an oilc.
Ardaím mo shúile is lasmuigh den gciorcal draíochta
chím Loki is tá bogha drualuis aige ina láimh.
Tá sé á theannadh go mealltach leis an seanduine dall.

is é ag bladar leis gan staonadh ó fhoscadh
an chrainn daraí. Seachain, ní ar do chluais a thitfidh
an chéad saighead eile, a Bhaldar, a dheartháirín ionmhain.

Oileán

Oileán is ea do chorp
i lár na mara móire.
Tá do ghéaga spréite ar bhraillín
gléigeal os farraige faoileán.

Toibreacha fíoruisce iad t'uisí
tá íochtar fola orthu is uachtar meala.
Thabharfaidís fuarán dom
i lár mo bheirfin
is deoch slánaithe
sa bhfiabhras.

Tá do dhá shúil
mar locha sléibhe
lá breá Lúnasa
nuair a bhíonn an spéir
ag glinniúint sna huiscí.
Giolcaigh scuabacha iad t'fhabhraí
ag fás faoina gciumhais.

Is dá mbeadh agam báidín
chun teacht faoi do dhéin,
báidín fionndruine,
gan barrchleite amach uirthi
ná bunchleite isteach uirthi
ach aon chleite amháin
droimeann dearg
ag déanamh ceoil
dom fhéin ar bord,

thógfainn suas
na seolta boga bána
bogóideacha; threabhfainn
trí fharraigí arda
is thiocfainn chughat
mar a luíonn tú
uaigneach, iathghlas,
oileánach.

A leamhainín

A leamhainín, a leamhainín,
tair cóngarach don dteas,
cloisim san oíche dhorcha
thú 'om thimpeallú gan sos.
Tá cleitearnach do sciathán
go sceitimeach is go grod.
Tá uafás mo chroí uaibhrigh
á bhodhradh acu.

In uain mhairbh an uaignis,
i ndoimhinéamh an anama,
is éachtach an déirc go bhfuil
neach beo eile faram.

An tine seo istigh i mo mheabhar
atá ag dul i léig,
cé gur i ndeire na smulcán a bhíonn an teas
caithfear gabháilt tríd.

Éloise is Abelard
is iad siúd a ghaibh trí phian,
ní bheidh acu aon bhreith orainn,
ní choinneoidh siad coinneal linn.

Is a leamhainín, a leamhainín,
má ghaibhimid tríd seo
déanfar dínn clocha adhmainte,
ní bháfaidh uisce sinn,
ní dhófaidh tine sinn,
ní oibreoidh faobhar airm orainn.

Masculus Giganticus Hibernicus

Trodaire na dtriúch, fear beartaithe na miodóige,
is cuma más i "jeans" nó i do dhiabhal nóin
piocaithe feistithe i do chulaith "pinstripe"
a bhíonn tú,
is í an bheart chéanna agat í i gcónaí.

Iarsma contúirteach ón Aois Iarainn,
suíonn tú i bpubanna is beartaíonn
plean gníomhaíochta an fhill
ná filleann,
ruathar díoltais ar an bhfearann baineann.

Toisc nach leomhfaidh tú go bhféadfadh eascar
rós damascach cróndearg i gcroí do mháthar
caithfidh tú an gairdín a iompó
ina chosair easair
á phásáilt is á loit faoi do dhá spág crúb.

Is tánn tú ceáfrach, buacach, beannach;
Tá do bhuilín déanta.
Thiocfá suas ar aiteann
nó ar an bhfraoch a fhásann
ar leirgí grianmhara mná óige.

16

Táimid damanta, a dheirféaracha

Táimid damanta, a dheirféaracha,
sinne a chuaigh ag snámh
ar thránna istoíche is na réalta
ag gáirí in aonacht linn,
an mhéarnáil inár dtimpeall
is sinn ag scréachaíl le haoibhneas
is le fionnuaire na taoide,
gan gúnaí orainn ná léinte
ach sinn chomh naíonta le leanaí bliana,
táimid damanta, a dheirféaracha.

Táimid damanta, a dheirféaracha,
sinne a thug dúshlán na sagart
is na ngaolta, a d'ith as mias na cinniúna,
a fuair fios oilc is maitheasa
chun gur chuma linn anois mar gheall air.
Chaitheamair oícheanta ar bhántaibh Párthais
ag ithe úll is spíonán is róiseanna
laistiar dár gcluasa, ag rá amhrán
timpeall tinte cnámh na ngadaithe,
ag ól is ag rangás le mairnéalaigh agus robálaithe
is táimid damanta, a dheirféaracha.

Níor chuireamair cliath ar stoca
níor chíoramair, níor shlámamair,
níor thuigeamair de bhanlámhaibh
ach an ceann atá ins na Flaithis in airde.
B'fhearr linn ár mbróga a chaitheamh dínn ar bharra taoide
is rince aonair a dhéanamh ar an ngaineamh fliuch
is port an phíobaire ag teacht aniar chughainn
ar ghaotha fiala an Earraigh, ná bheith fanta
istigh age baile ag déanamh tae láidir d'fhearaibh,
is táimid damanta, a dheirféaracha.

Beidh ár súile ag na péisteanna
is ár mbéala ag na portáin,
is tabharfar fós ár n-aenna
le n-ithe do mhadraí na mbailte fearann.
Stracfar an ghruaig dár gceannaibh
is bainfear an fheoil dár gcnámha

17

geofar síolta úll is craiceann spíonán
leasc rianta ár gcuid urlacan
úir a bheimid damanta, a dheirféaracha.

Féar suaithinseach

Fianaise an chailín i ngreim "Anorexia"

Nuair a bhís i do shagart naofa
i lár an Aifrinn, faoi do róbaí corcra
t'fhallaing lín, do stól, do chasal,
do chonnaicís m'aghaidh-se ins an slua
a bhí ag teacht chun comaoineach chughat
is thit uait an abhlainn bheannaithe.

Mise, ní dúrt aon ní ina thaobh.
Bhí náire orm.
Bhí glas ar mo bhéal.
Ach fós do luigh sé ar mo chroí
mar dhealg láibe, gur dhein sé slí
dó fhéin istigh im ae is im lár
gur dhóbair go bhfaighinn bás dá bharr.

Ní fada nó gur thiteas 'on leabaidh;
oideasaí leighis do triaileadh ina gcéadtaibh,
do tháinig chugham dochtúirí, sagairt is bráithre
is n'fhéadadar mé a thabhairt chun sláinte
ach thugadar suas i seilbh bháis mé.

Is téigí amach, a fheara,
tugaíg libh rámhainn is speala
corráin, grafáin is sluaiste.
Réabaíg an seanafhothrach,
bearraíg na seacha, glanaíg an luifearnach,
an slámas fáis, an brus, an ainnise
a fhás ar thalamh bán mo thubaiste.

Is ins an ionad inar thit
an chomaoine naofa féach go mbeidh
i lár an bhiorlamais istigh
toirtín d'fhéar suaithinseach.

Tagadh an sagart is lena mhéireanna
beireadh sé go haiclí ar an gcomaoine naofa
is tugtar chugham í, ar mo theanga
leáfaidh sí, is éireod aniar sa leaba
chomh slán folláin is a bhíos is mé i mo leanbh.

19

A Alba

A Alba, le do shúilín fíorghlas
do mearais an croí ionam.
D'ólas ó do bheola fíon ór
nach geal ná dearg
ach a shníonn ó féitheanna móra
do chuid ceoil agus flaithiúlachta,
ó bharaillí an dúchais
is ó chnagairí na daonnúlachta,
is óró do bheanna móra
is an bláth beag bán nach eol don a ainm.

Is a Alba, le do chroí bó,
le do theanga ghlórmhar is led chluasa catach'
atá mar chomhartha uaisleachta níos bunúsaí
ná bua na banphrionsa a bhraitheadh pónaire
faoi ocht dtocht leapan,
ó thuigeas fairsinge do mheoin
is an clúimhín mín ag baic do mhuiníl
táim éidreoireach, corrthónach
is ní féidir liom codladh a thuilleadh,
is óró do bheanna móra
is an bláth beag bán nach eol dom a ainm.

Is a Alba, iníon ghléineach,
le do chaor aduaidh, a réilthín mhascalach,
bile a shíolraigh ó Niall Glúndubh
is Niall Frasach, a thugadh fíon le n-ól dá eachaibh
is a chuireadh cruite óir faoina gcrúba.
Is trua nár chuas go Sasana nó go tír na bhFear nDubh
nó nár fhanas i gCúige Mumhan na hÉireann
sula bhfaighinn radharc riamh
ar do choillte giúise, do bheanna móra
is ar an mbláth beag bán nach eol dom a ainm.

Is a Alba, le do chraiceann craorag
breac le caorthainn is le muisiriúin,
táim imithe ins na cata fia agat,
táim i mo bhalbhán, im fhile caoch agat.
Ach aithníonn fiantas fiantas eile

is thógfainn orm tú a shlogadh.
D'íosfainn thú idir choirt is chraiceann,
idir fheoil is leathar, beo beathúch, tur te,
is óró do bheanna móra
is an bláth beag bán nach eol dom a ainm.

A chroí tincéara

Is ná raghfá chun suain anois ar deireadh,
a chroí tincéara,
ná ligfeá suas don ruaille buaille,
don ghliotram is gleo ard i gcónaí,
do bheith ag rúideadh eascainí ó thaobh sráide lá aonaigh,
do bheith ag bualadh buillí marfacha le do chrobh hucstaera,
rian na draoibe i do ríobal is tú ag gabháil cosnochta
murc marc thar nósanna an phobail,
scun scan as radharc na ndaoine,
tré mhóinte is tré churraithe
is gan aon bheann agat ar éinne,
is ná raghfá chun suain anois, a chroí tincéara.

Tánn tú chomh guagach le báidín mearathail,
chomh fiain le giorria a léimfeadh gach súilín ribe
a choimeádann coinín, chomh teasaí leis an láirín bhuí
nár shuigh aon mharcach riamh ar a muin,
chomh righin le gad sailí,
chomh héaganta le muc bhaineann,
is go bhfóire Dia orm má chaithim bheith de shíor
ag glanadh suas an tranglaim a fhágann tú i do dhiaidh; —
an cheirt leata ar gach tor,
an fear ar adhastar ins gach baile fearainn.

Ná tuigeann tú go gcaitheann tú iasc a bheiriú
sula slogann tú siar é,
gan a bheith ag rince Caidhp an Chúil Aird
ar bharaillí pórtair.
Cuimhnigh gur chóir suí chun do mhún a ligint.
Ardaigh beann do ghúnaí aníos ón bpluda.
Cíor do mhothal gruaige.
Tairrig do sheál i gceart aníos thar do ghuaille
mar a dhéanfadh bean mhaith
is ná lig síos mé a thuilleadh,
a ghadsádaí diabhail!, a chroí, a chladhaire.

Caith uait an laochas is díol an mangarae
a iompraíonn tú thart ó bhaile go baile.
Croith tú féin suas is cuir sálaí
arda faoi do bhróga is búclaí córacha.

Bíodh cleite i do chaipín, is airgead i do sparán,
bain díom aghaidh do chaoraíochta, — maith an cailín!
Is ní fada anois
go mbeir teanntaithe agam i gceart,
is ceangal na gcúig gcaol ort,
is dar Rí na bhFeart! mura n-iompaíonn tú timpeall
is cloí leis an gceart
bíodh an diabhal agat sa deireadh, a chroí tincéara.

Kundalini

Ná bain an leac ded chroí,
thíos faoi tá nathair nimhe
ina luí i lúba.

Éinne a thaighdeann an poll,
geobhaidh sé ina codladh ann
an ollphiast ghránna.

Éiríonn sí taobh thiar ded dhrom,
is uafar agus is géar a glam
na fola i do dhearna.

Caortha agus tinte teo,
coinneal a súl ag at, is ag reo
an fhuil i do dhearna.

Is ní cabhair duit, a Naomh Cúán,
dramhlach na mine a chur ar a ceann,
tá sí rómhór dhuit.

Is ní féidir leat dallamullóg
a chur uirthi seo mar a dheinis fadó
le cleasaíocht focal.

Atann is tagann clipí ar a drom,
d'íosfadh sí trian agus leath don domhan
gan cead ó éinne.

Cinte, ceainte tá sí ann,
go breith an bhrátha, go brách na breithe.
Amen, a thiarna.

Turas

Fágaim laistiar,
faoi smúit ceobhráin
an dúiche fhiain seo.
Scáileanna na gcnoc
ina leathchiorcal timpeall
na trá báine, mar ar mhairbh
na laochra a chéile,
is iad ag troid ar son
pé rud go dtroideann fearaibh
ar a shon.

I dtreo Baile an Ghóilín
chím na chéad chrainn
pailme
is an choill
a phlandáil na plandálaithe
De Moleyns.
Maireann an crann ar an bhfál
ach ní mhaireann an láimh
faid is atá mná rialta
ag siúil seomraí a dtí.
Tá bairnigh is iascáin
ag fás ar chreatlacha
a gcuid bád.
Tá oisrí ar a gcuimhní.

Sciorrann an lá
chomh mear le gaoth
tharam, — an bus, an traen.
Téim trí thollán
is táim anois i gcathair ard
is ar an bpábhaile
trí smúiteán an ghail,
an gleo, is gáirí arda
an chomhthaláin daoine
tánn tú ag teacht i mo threo.
Aithním fíor do ghuaille
do choiscéim,
is anois do ghuth.

25

Sceimhle

Tá cailleach an mhuilinn
ag ní éadaí fuilteacha san abhainn.
Tá sí ag féachaint anall orm
rómhinic.
Tá gadhar ag amhastrach
ag bun na binne;
buaileann clog an teampaill go bodhar;
eitlíonn crothóg liath i mo choinne.
Tá sé i bhfad thar am
agam bogadh.

Thíos ins an mbaile
tá daoine ag féachaint fiarsceabhach,
tá siad ag cromadh a gceann
is ní labhrann siad liom a thuilleadh.
Éiríonn camfheothan gaoithe
de dhroim na mbeann,
leanann turlabhait báistí é
is cloichshneachta trom.
Dúnaim doras mo thí go teann
ina gcoinne.

Dúisím go hobann níos déanaí san oíche,
timpeall a dó ar maidin,
nuair atá amhascarnach an lae
ag sileadh tharam.
Osclaíonn doras an tseomra leapan uaidh féin
is tá gadhar ag teacht isteach an seomra chugham
an niúimint seo,
is tá dhá shúil air atá chomh mór
      . . . le plátaí,
      . . . ní hea, ach le rothaí cairte,
      . . . ní hea, ach le sciatháin mhuilinn ghaoithe.

Scéal béaloidis ón Leitriúch

Toisc gur phósas-sa
fear eile
ní charfaidh tú an saol
a thuilleadh
ach tógfaidh tú
chun na leapan
is i gcionn bliana
geobhair bás
is cuirfear tú
in uaigh do mhuintire
ar an dtaobh theas
de reilig Chill Éinne.

Is ar do bhás-sa
buailfidh taom mé
is treabhfadsa
an tslí a thaobhais
is cuirfear mé i dtuama
an fhir a phósas
i gcúinne thiar-thuaidh na cille.

Is fásfaidh rós
amach ó mo bhéal
is fásfaidh driseog
as do thaobh,
is ceanglóimid
i ndeire báire
i mbarr an stípil
os cionn an teampaill.

Rómánsaíocht ar fad is ea é seo, ar ndóigh,
ní thugann coraí crua an tsaoil seo
fábhar do mhairbh ná do bheoaibh.

Amhrán an fhir óig

Mo dhá láimh
ar do chíocha,
do dhá nead éin,
do leaba fhlocais.
Sníonn do chneas
chomh bán le sneachta,
chomh geal le haol,
chomh mín leis an táth lín.

Searraim mo ghuaille
nuair a bhraithim
do theanga i mo phluic,
do bhéal faoi m'fhiacla.
Osclaíonn trínse
faoi shoc mo chéachta.
Nuair a shroisim bun na claise
raidim.

Mise an púca
a thagann san oíche,
an robálaí nead,
an domhaintreabhadóir.
Loitim an luachair mórthimpeall.
Tugaim do mhianach portaigh
chun míntíreachais.

Mo ghrá-sa *(idir lúibíní)*

Níl mo ghrá-sa
mar bhláth na n-airní
a bhíonn i ngairdín
(nó ar chrann ar bith)

is má tá aon ghaol aige
le nóiníní
is as a chluasa a fhásfaidh siad
(nuair a bheidh sé ocht dtroigh síos)

ní haon ghlaise cheolmhar
iad a shúile
(táid róchóngarach dá chéile
ar an gcéad dul síos)

is más slim é síoda
tá ribí a ghruaige
(mar bhean dhubh Shakespeare)
ina WIRE deilgní.

Ach is cuma san.
Tugann sé dom
úlla
(is nuair a bhíonn sé i ndea-ghiúmar
caora fíniúna).

Paidir Chomaoine

Tugaim faoi ndeara
it fhochair
go mbím gan bogadh,
go ndeintear stangadh dom.
Croitheann
mo bhaill beatha.
Cloisim,
mar a bheadh i dtaibhreamh,
tú ag cur ordú orm; —
"oscail do chóta,
ardaigh do ghúna,
tabhair dom do lámha,
do chroí, do ghrá."

Níl neart ionam
cur i do choinne,
leáim faoi splanc
do chaorthine,
t'fhuil i mo bhéal,
do chorp ar mo theanga,
a Íosa,
a d'fhágfadh an naocha-naoi
chun dul ag cuardach an chorr-éin.

Geasa

Má chuirim aon lámh ar an dtearmann beannaithe,
má thógaim droichead thar an abhainn,
gach a mbíonn tógtha isló ages na ceardaithe
bíonn sé leagtha ar maidin romham.

Tagann aníos an abhainn istoíche bád
is bean ina seasamh inti.
Tá coinneal ar lasadh ina súil is ina lámha.
Tá dhá mhaide rámha aici.

Tarraigíonn sí amach paca cártaí
"An imréofá breith?", a deireann sí.
Imrímid is buann sí orm de shíor
is cuireann sí de cheist, de bhreith is de mhórualach orm

gan an tarna béile a ithe in aon tigh,
ná an tarna oíche a chaitheamh faoi aon díon,
gan dhá shraic chodlata a dhéanamh ar aon leaba
go bhfaighead í. Nuair a fhiafraím di cá mbíonn sí

"Dá mba siar é soir," a deireann sí, "dá mba soir é siar."
Imíonn sí léi agus splancacha tintrí léi
is fágtar ansan mé ar an bport.
Tá an dá choinneal fós ar lasadh le mo thaobh.

D'fhág sí na maidí rámha agam.

Foláireamh

Dallta le grá, do cheann ina roilleán,
múchta le póga, do mheabhair ina mheascán mearaí,
ní raibh aon seans agat féachaint go beacht ná go cruinn orm,
n'fheacaís i gceart mé ach amháin faoi loinnir na gealaí.

Táim chomh bán le cráin ag tóch sna garraithe,
alpaim siar m'ál féin gan tásc gach aon seachtú bliain,
tá rúitíní arda, cluasa catach' is guairí orm,
colainn gan ceann mé ag snámh chughat san oíche faoi dhraíocht.

Seachain mo phéarlaí beaga d'fhiacla, tá faobhar orthu;
ní túisce a phógfainn tú ná d'ólfainn an fhuil as do chliabh.
I mo láimh dheas tá liathróid óir agus airgid,
i mo láimh chlé tá scian na coise duibhe.

Aubade

Is cuma leis an mhaidin cad air a ngealann sí; —
ar na cáganna ag bruíon is ag achrann ins na crainn
dhuilleogacha; ar an mbardal glas ag snámh go tóstalach
i measc na ngiolcach ins na curraithe; ar thóinín bán
an chircín uisce ag gobadh aníos as an bpoll portaigh;
ar roilleoga ag siúl go cúramach ar thránna móra.

Is cuma leis an ghrian cad air a éiríonn sí:—
ar na tithe bríce, ar fhuinneoga de ghloine snoite
is gearrtha i gcearnóga Seoirseacha: ar na saithí beach
ag ullmhú chun creach a dhéanamh ar ghairdíní bruachbhailte;
ar lánúine óga fós ag méanfach i gcoimhthiúin is fonn
a gcúplála ag éirí aníos iontu; ar dhrúcht ag glioscarnach
ina dheora móra ar lilí is ar róiseanna; ar do ghuaille.

Ach ní cuma linn go bhfuil an oíche aréir
thart, is go gcaithfear glacadh le pé rud a sheolfaidh
an lá inniu an tslí; go gcaithfear imeacht is cromadh síos
arís is píosaí beaga brealsúnta ár saoil a dhlúthú
le chéile ar chuma éigin, chun gur féidir
lenár leanaí uisce a ól as babhlaí briste
in ionad as a mbosa, ní cuma linne é.

An bhábóg bhriste

A bhábóigín bhriste ins an tobar,
caite isteach ag leanbh ar bhogshodar
anuas le fánaidh, isteach faoi chótaí a mháthar.
Ghlac sé preab in uaigneas an chlapsolais
nuair a léim caipíní na bpúcaí peidhl chun a bhéil,
nuair a chrom na méaracáin a gceannaibh ina threo
is nuair a chuala sé uaill chiúin ón gceann cait ins an dair.
Ba dhóbair nó go dtitfeadh an t-anam beag as nuair a ghaibh
easóg thar bráid is pataire coinín aici ina béal,
na putóga ar sileadh leis ar fuaid an bhaill
is nuair a dh'eitil an sciathán leathair ins an spéir.

Theith sé go glórach is riamh ó shoin
tánn tú mar fhinné síoraí ar an ghoin
ón tsaighead a bhuail a chluais; báite sa láib
t'fhiarshúil phlaisteach oscailte de ló
is d'oíche, chíonn tú an madra rua is a hál
ag teacht go bruach na féithe raithní taobh lena bpluais
is iad ag ól a sá; tagann an broc chomh maith ann
is níonn a lapaí; sánn sé a shoc san uisce is lá
an phátrúin tagann na daoine is casann siad seacht n-uaire
ar deiseal; le gach casadh caitheann siad cloch san uisce.

Titeann na clocha beaga seo anuas ort.
Titeann, leis, na cnónna ón gcrann coill atá ar dheis
an tobair is éireoir reamhar is feasach mar bhreac
beannaithe sa draoib. Tiocfaidh an spideog bhroinndearg
de mhuinntir Shúilleabháin is lena heireabaillín
déanfaidh sí leacht meala de uiscí uachtair an tobair
is leacht fola den íochtar, fós ní bheidh corraí asat.
Taoi teanntaithe go síoraí ins an láib, do mhuineál tachtaithe
le sreanganna "lobelia". Chím do mhílí ag stánadh orm
gan tlás as gach poll snámha, as gach lochán, Ophelia.

Seanfhocal I

An rud is measa leat ná do bhás,
nuair a tharlaíonn sé; —
abraimis gur phós do mháthair
an fear go raibh tú féin i ngrá leis,
nó í féin, bean ba bhreátha ná an ghrian,
do dhul faoi dheireadh go leac na bpian,
ná creid i bhfírínne an tseanfhocail
ná feadaraís ná gurb é corplár do leasa é.
Fastaím an méid sin, sop a chaitear
i dtreo an duine bháite á rá leis teacht slán air.
Tá a fhios agat cheana féin go maith
ná fuil d'fhírínne ins an ráiteas
ach an focal "corp".
Is é a deir na fírící (seachnaíg, seachnaíg)
gur chughat an púca Rállaí
is go bhfuil na Lochlannaigh ag gabháil aniar
ó Thráigh Ghearraí.

Ag cothú linbh

As ceo meala an bhainne
as brothall scamallach maothail
éiríonn an ghrian de dhroim
na maolchnoc
mar ghine óir
le cur i do ghlaic,
a stór.

Ólann tú do shá ó mo chíoch
is titeann siar i do shuan
isteach i dtaibhreamh buan,
tá gáire ar do ghnúis.
Cad tá ag gabháil trí do cheann,
tusa ná fuil
ach le coicíos ann?

An eol duit an lá ón oíche,
go bhfuil mochthráigh mhór
ag fógairt rabharta,
go bhfuil na báid
go doimhin sa bhfarraige
mar a bhfuil éisc is rónta
is míolta móra
ag teacht ar bhois is ar bhais
is ar sheacht maidí rámha orthu,

go bhfuil do bháidín ag snámh
óró sa chuan
leis na lupadáin lapadáin
muranáin maranáin,
í go slim sleamhain
ó thóin go ceann
ag cur grean na farraige
in uachtar
is cúr na farraige
in íochtar?

Orthu seo uile an bhfuilir
faoi neamhshuim?
is do dhoirne beaga
ag gabháilt ar mo chíoch.

Tánn tú ag gnúsacht le taitneamh,
ag meangadh le míchiall.
Féachaim san aghaidh ort, a linbh,
is n'fheadar an bhfeadaraís
go bhfuil do bhólacht
ag iníor i dtalamh na bhfathach,
ag slad is ag bradaíocht,
is nach fada go gcloisfir
an "fí-faidh-fó-fum"
ag teacht thar do ghuaille aniar.

Tusa mo mhuicín a chuaigh
ar an margadh,
a d'fhan age baile,
a fuair arán agus im
is ná fuair dada.
Is mór liom de ghreim tú
agus is beag liom de dhá ghreim,
is maith liom do chuid feola
ach ní maith liom do chuid anraith.

Is cé hiad pátrúin bhunaidh
na laoch is na bhfathach
munar thusa is mise?

Sneachta

Níor cheol éan,
níor labhair damh,
níor bhéic tonn,
níor lig rón sceamh.

Gaineamh shúraic

A chroí, ná lig dom is mé ag dul a chodladh
titim isteach sa phluais dhorcha.
Tá eagla orm roimh an ngaineamh shúraic,
roimh na cuasa scamhaite amach ag uisce,
áiteanna ina luíonn móin faoin dtalamh.

Thíos ann tá giúis is bogdéil ársa;
tá cnámha na bhFiann 'na luí go sámh ann
a gclaimhte gan mheirg — is cailín báite,
rópa cnáibe ar a muinéal tairrice.

Tá sé anois ina lag trá rabharta,
tá gealach lán is tráigh mhór ann,
is anocht nuair a chaithfead mo shúile a dhúnadh
bíodh talamh slán, bíodh gaineamh chruaidh romham.

San am atá le teacht

Toisc go bhfacamarna
na prátaí ag lobhadh
sna poill éadoimhne,
leanaí beaga ocracha
ag steagaráil ar spanlaí
ag creimeadh is ag scrabhadh
sa chré dhubh,
is nuair a theip a mbonnaí orthu
ag lamhncán ó thrinse go grua,
ó ghrua go port,
ó phort go tairsinn

dúnamar ár gcroíthe
de phlab. Chruinníomar
airgead na ngéanna
a d'itheadh cac na circe
a bhíodh sa chúib faoin n*dresser*.
Ghlanamar ár gcosa
ar ghuairí na muice
a bhíodh faoin leabaidh chnaiste.
Níor chuaigh aon ní i vásta.
Chodlaíomar i log uisce,
mhaireamar faoi chab lice,
choinníomar uisce na n-ubh.
D'imigh an greann
is a cheann faoina eireaball
ach mhaireamar teann
agus dheineamar lab.

Tá slámas miotail
is luifearnach ifreanda
ag borradh is ag fás anois
sa domhan toir.
Titfidh an t-aer
is an talamh ar a chéile.
Sinne Cearc an Phrompa.
Lenár súile a chífeam é,
lenár gcluasa a chloisfeam é
is i mbun ár dtóna thiar a thitfidh sé.
Beimid ag achrann

40

i dtaobh an ghráinne chruithneachtan
a d'fhág ár máthair chríonna
le huacht eadrainn.

Bainfear fómhar muisiriún
i mbánta na spéire,
beidh capaill na gceithre marcach
ag iníor go méith ann
is beidh gléas iontu
is gan ribe féir le fáil.
Raghaimid ar an gcnoc arís
ag bailiú bruis chun tine
is ag baint craoibhe.
Cuirfear scothóg aitinn
faoi cheann an chapaill
is tiocfaidh na cearca fraoigh thar n-ais.
Scúfaimid buigiúin
chun buacaisí a dhéanamh
don solas úisc ar shlige.
Íosfaimid cabáiste allta
as cluasa na gcorpán
is sméara dubha
as mogaill na marbh
is tiocfaimid i dtír orthu go blasta.

Is i ndiaidh an spealladh gorta
is an bhuanadóireacht chóir
seans
go dtabharfar bia is deoch uisce
is bheith istigh istoíche
do bhean siúil éigin.
Fágfaidh sí uaithi a máilín duilisc
is suífidh sí suas chun na tine.
Ardóidh sí a cótaí aníos thar a glúine
chun gur fearrde a gabhal a gal.
Iarrfar scéal nua uirthi.
Ní bheidh gach éinne cruaidh.
Ní bheidh éinne bog.

Cnámh

Trá
ba chnámh mé
ar an má
i measc na gcnámharlach eile.
Sa ghaineamhlach iargúlta
i lár na gcloch is na gcarraigeacha
bhíos lom, bán.

Tháinig an ghaoth,
puth d'anála,
shéid sé an t-anam
ionam.
Dhein díom bean,
múnlaithe as ceann
d'easnacha Ádhaimh.

Tháinig an gála,
shéid sé go láidir,
chuala do ghuth
ag glaoch orm sa toirneach.
Dhein díom Éabha,
máthair an chine.
Dhíolas m'oidhreacht
thar ceann mo chlainne.
Mhalartaíos úll
ar an dúil ba shine.

Fós
is cnámh mé.

Mo choinnleoir práis

Nílim go maith le tamall
n'fheadar ab é an galar dubhach
nó an fiabhras aerach
atá ag gabháil stealladh dhom
nó ab amhlaidh atá gach re sea
ag an dá dhúchas seo orm.

Is cé go ndeirtear ná fuil
aon bhuanaíocht ag na daoine maithe
ar mhná rua (toisc sinn a bheith
iontu cheana i dtosach an tslua)
nílim ró-dheimhnitheach in aon chor
ná go bhfuilthears chugham cheana féin
is iad ag teannadh liom go dlúth.

Is dála an fhir i nGallaras fadó
go mbíodh sprid nó droch-amhailt éigin
ag gabháilt dó
táim ag fáilt ana-thiomáint uathu.

Aréir bhíos ag féachaint sa doras
is bhí poll sa chomhlainn.
Is gearr go bhfaca rud éigin
i bhfoirm seilmide
ag teacht isteach trí pholl an duail.
Do tháinig sé isteach ar an úrlár.
Do thosnaigh sé ag dul i méid
is ag dul i méid; de réir
mar a bhí sé ag dul i méid
bhí sé ag druidim aníos liom.
Do tháinig cosa faoi,

is do rugas ar an gcoinnleoir práis
a bhí i gceann na leapan
is do mharaíos d'aon iarracht é,
do dheineas striúda dho.
Dhein carnán glóthaí dho
ar an dtoirt
is bhí boladh fiain
ar fuaid an tí ina dhiaidh.

43

Anois le gach gíoscán lasmuigh,
le gach coiscéim ar an ngairbhéal
léimeann mo chroí 'om bhéal.
Measaim go gcloisim ag sioscarnach iad
"sin é an tigh inar maraíodh ár ndeirfiúr."
Is má thagann siad chugham táim réidh
tá an coinnleoir práis i mo ghaobhar
is déanfad mé fhéin a chosaint
le cúnamh Dé, ar gach ní faoin ngréin.

Ach Ó! an boladh! an boladh!

An leanbh gan baiste

Do choinnigh sí a mac
seacht mbliana gan baiste
ansan chuaigh thar n-ais
go tigh a dearthár
is labhair i bhfianaise an tsagairt ann.

"Do thugas mo mhóid is mo leabhar
ná 'neosfainn go deo
d'aon duine baistithe
cad a dheineadar liom.
— is éist anois, a linbh gan baiste,
le scéal do mháthairín."

"Do chuaigh bean mo dhearthár
amach 'on gharraí.
Do mhairbh sí an coileán con,
do mhairbh sí an láir bhán,
do ghearraigh sí anuas an crann úll
is do cuireadh an milleán orm.
— is duitse atáim á insint seo,
a linbh gan baiste, is clois a gcloisfir."

"Ansan fuair mo dheartháir scian
go raibh faobhar maith uirthi
is do bhain sé díom mo lámh dheas
do bhain sé díom an lámh chlé
do ghearraigh sé an chín dheas díom
do ghearraigh sé an chín chlé díom
is do bhuail sé ansan ar an bport iad.
— is duitse atáim á insint seo,
a linbh gan baiste, is clois a gcloisfir."

"Is murach gurb é Ár dTiarna
a ghaibh thar bráid ar chapall bán
is a chuir thar n-ais arís orm iad
le trí phuth dá anáil
bhíos sínte fuar marbh go fóill.
— is duitse atáim á insint seo,
a linbh gan baiste, is clois a gcloisfir."

45

Is nuair a bhí a scéal inste
is bean a dearthár daortha aici
dúirt sí
"Baist an leanbh, a athair, anois
is mo bheannacht in aonacht leis."

Is cén áit a gheobhad-sa
leanbh gan baiste
lena scaoilfinn mo rún
gan mo mhóid a bhriseadh.
Ach tá cluasa ar na clathacha
is súile ar an machaire
gach éinne de réir a choinsiasa féin:
clois a gcloisfir
agus feic a bhfeicfir.

Mo mhíle stór

I dtús mo shaoil do mheallais mé
i dtráth m'óige, trí mo bhoige.
Thuigis go maith
go bhféadfaí mo cheann a chasadh
le trácht ar chúirteanna aoldaite,
ar chodladh go socair i gcuilteanna
de chlúmh lachan,
ar lámhainní de chraiceann éisc.

Ansan d'imís ar bord loinge,
chuireas mo mhíle slán i do choinne.
Chuireas suas le bruíon is le bearradh
ó gach taobh; bhí tráth ann
go bhféadfainn mo chairde a chomhaireamh
ar mhéaranna aon láimhe amháin,
ach ba chuma.

Thugais uait cúrsa an tsaoil
is d'fhillis abhaile.
Tháinig do long i dtír
ar mo leaba.
Chlúdaíos le mil thú
is chonac go raibh do ghruaig
fachta liath is díreach.

Fós i mo chuimhní
tánn tú bachallach,
tá dhá chocán déag i do chúl buí
cas.

Fál go haer

I

N'fheadar ná gur fál go haer
an fás seo eadrainn.
Tá a mhacasamhail le fáilt
i gcroí gach éinne againn.

Tá sé ag fás leis na céadta blian
ó Chath Chionn tSáile i leith,
ó dh'imigh na géanna leo ar luas,
ó thit na deora chomh mór le bróite
d'iompófaí muileann le gach deor acu.

Neó, mo dhearmad!
is fada go mór ná san
ó phréamhaigh an anachain
istigh sa lár ionainn.

Ó crúdh an bhó isteach sa chriathar,
ó tugadh scian don gcaoirín dubh
go raibh gead mar aon muileat
i gclár a héadain
is go mbíodh cúpla aici
gach uile bhliain.

Nuair a cuireadh í ag beiriú
dá mbeifeá ag carnadh móna
faoin dtine ó shin
ní bheireodh an coire dhuit.

Caitheadh amach í
cois an chlaí, san iothlainn,
is ní bhuailfeadh na gadhair
ná aon ainmhí eile
a bpus uirthi.

Maidin lárna mháireach
do chonaic fear an tí
na caoirigh a shíolraigh uaithi
ag imeacht in aon strillín

48

amháin isteach i liosachán
i gcúinne an ghoirt.

Thug sé leis ord is piocóid
is ramhann
is thug sé a mhac críonna leis.
Chuadar beirt isteach sa lios
is chonaiceadar an poll
sa luifearnach.

Thóg sé an leac a bhí sa pholl
is d'imigh sé síos ann,
é féin is a mhac ina dhiaidh
is bhí radharc ar na caoirigh acu.

Chuadar chomh fada le habhainn
is bhí fir ar an dtaobh eile
ag sábháilt féir rompu.
Bhéiceadar orthu na caoirigh
a shárú
ach níor thug na fir aon tor orthu.

"Téigíg abhaile anois,"
a dúirt na fir,
"pé an áit gurb as sibh.
Tánn sibh séantach ar na caoirigh sin
agus fanaíg mar a bhfuil agaibh."

Is táimid séantach
ar níos mó ná caoirigh.

II

Thángamair slán ónár naimhde
na cailleacha draíochta,
tré léimt ar dhroim an fhiolair,
tré cleite a tharrac as a sciathán
is suí ina ionad.

Nuair a thángadar siúd inár ndiaidh
i ngiorracht urchair méaróige
do theilgeamair an tsnáthad siar
gan baint leis an bhfiolar
is do dhein coill snáthaidí dho.

49

Tá an t-uafás caca le sluaisteáil
i stáblaí an Domhain Toir
chun teacht ar an tsnáthad arís.

Gach scaob den aoileach
a chaithfimid amach
líonfaidh seacht scaob isteach orainn
mura gcabhróidh an cailín aimsire linn.

III

Thuas ins na cnoic
tá gleann doimhin is loch
le taoscadh le buicéad
chun teacht ar an bhfáinne.

Gach buicéad a chuirim amach
líonann sconna uisce isteach
ina ionad
gur gairid go mbíonn sé
go glúine orm.
Ní mór dom tumadh ann.

"Is gaibh i leith, a chailín
is abair liom an méid seo,
an bhfuilir in aon ghaobhar
don ghrinneall ann."

"Táim, a bhuachaill, táim.
Is gairid dom an lá.
Níl uaim ach seacht sainstróc
chun an fáinne a dh'fháil

is má gheallas duit
go dtabharfainn chughat í
ní raibh sé san acht
go dtabharfainn duit í.

Comeádfad chugham féin í
i ngreim dóite
is ar mo bhás
ní ligfead uaim í.

Fanaimis amhlaidh, mar a bhfuilimid,
na héinne ina chúinne féin
mar is rómhór m'eagla,
is táim in amhras,
gur fál go haer
a fhás anseo eadrainn."

Seanfhocal II

Toisc gur fearr an t-imreas ná an t-uaigneas
bímis ag bruíon is ag achrann,
ag allagar, is ag aighneas,
ag pósadh is ag tabhairt i bpósadh,
ag síolrú is ag tógaint clainne
do chum Glóire Dé is Onóra na hÉireann
nó ar son aon déithe nó tíortha eile
is mian linn.

Caithimis ár saol ag únfairt le chéile
buille ar an gcat is buille ar an madra,
snap anso agus sleaip ansúd,
mise agus Síle agus rioball na muice
gus an bainisteoir bainc go mbíonn smailc
ar a ghnúis is de bharr géarchéim eacnamaíochta
nach mór dúinn teitheadh uaidh,
is ná raibh maith againn.

Sinn ag déanamh gaisce d'fhiacal nua páiste,
ag cur páistí ar bhrangóidí stollta na trócaire,
go dtí an lá go bhféachfaimid suas
is trasna an bhá uainn, theas in Uíbh Ráthach
tá sléibhte na síoraíochta, is sneachta ar a mbarr.
Eadrainn tá an t-aigéan mór,
is an bóthar trína lár
is na daoine ag siúl ann.
Tá sé i dtráth seolta a thógaint
is dul 'on bhinn bhán
a chodladh, nó don mbás is deartháir dó.

Ach tá tithe bríce sa bhfarraige, is an fharraige tirim,
is éadaí ar crochadh ar sreanga is ar théadanna,
is tagann bean amach as an dtigh is gaire dhúinn
is glaonn amach os ard, in ard a cinn,
"A Mháire Ní Bheirbhithe, cuir abhaile an criathar."
Thall, chomh maith le abhus, tá beirthe orainn
toisc gur fearr an t-imreas ná an t-uaigneas.

Animus/Anima

"Bog do bhreith, a Fhinn,
bog do bhreith," a deirim leat
nuair a chuireann tú de bhreith
is de gheasa droma draíochta orm
bheith ceangailte i mbarr stípil
go ceann lae is bliana

is gan de bhia
do dhul i mo bholg
ach an méid a gheobhaidh chugham
trí chró snáthaide
as punainn choirce
go mbéarfása naoi mbuille
le súiste iarainn uirthi.

Cén leigheas atá agam air
má shamhlaítear duit
gur mise an truanairtín beag mná
— leath di ina hiasc is leath ina duine —
a bhuaileann leat ar thráigh Fionntrá
áit a rabhais ag bailiú bairneach
is ag cur mionnaí móra leo

is nuair a imrímid cluiche dísle
go mbuaim ort
sa gcaoi go gcaitheann tú dul anois
go cúirteanna an Domhain Toir
is an claíomh solais a bhaineann
leis an Ridire Dúch gan Gháire
a thabhairt chugham anoir.

Tusa ag tóraíocht t'anama
is mise ar rianta m'athar,
táimid chomh hait de bheirt
ar ar las gealach nó grian riamh
ná gur luigh súil pheacaigh
i siúl lae is bliana orthu.

Is in ionad a bheith
ag bruíon is ag achrann

53

ag clipeadh is ag crá a chéile
nár dhóigh leat
nó le duine ar bith
go dtabharfaimis sólás éigin
dá chéile sa duibheagán

so,
"bog do bhreith, a Fhinn,
bog do bhreith," a deirim.

— "Dalladh agus cruas orm
má dheinim" do fhreagra.

Sa suanlios

I suanlios sna foraoiseacha
luíonn síos na céadta
atá ag teitheadh ón anachain
sa chathair.
In uain mhairbh na hoíche,
— is ní roimhe —
tagann an fathach ceann madra allta
lena scian
is téann sé ó dhuine go duine.

Stopann sé anseo is ansiúd
is baineann stiall chraicinn
ó íochtar a thóna
go barra a chinn
as diabhal bocht éigin.

Cuid acu maraítear iad
ar an dtoirt,
cuid eile acu éiríonn leo
éaló faid rámhainne uaidh
sara dtiteann an t-anam astu
le cailliúint fola.

Nuair a tuigtear dom
é a bheith imithe tharam
osclaím mo shúile
is féachaim in airde
is chím i bhfad uaim
i measc barraí na gcrann
buaic dhíon an tsuanleasa.

Ach mo dhearmhad!, tá an fathach fós
ag faoileáil thart.
Chíonn sé mo shúile ar oscailt
is tuigeann láithreach
go bhfeacasa gach drochbheart
a dhein sé.

Ardaíonn sé leis mé, gan marú
siar go dtína chúirt is a sheanabhaile
istigh sna coillte.

Tá créatúirí bochta eile ann
gan aimliú;
ina measc baintreach dhall
a bhíonn á tarrac timpeall
i "wheelbarrow".

Suímid síos ar an bhféar
i ngairdín an fhathaigh.
Cuirimid ár dtoil
le toil a chéile
ag pleanáil
conas a ealóimid uaidh.

I bhfad uainn
tá an gaiscíoch ag teacht
go crónánach abhaile.
Tá ceann dhearthair an fhathaigh
casta ar dtuathal ar ghad
ar a ghualainn aige.

Tá beart éan féna ascaill
don tseanabhean sa bhothán
le cur síos don suipéar.
Chualamair glór na bpiléar
nuair a lámhaigh sé iad
is do ghealaigh an spéir orainn.

Táimid anois ag fanacht leis.

Don ngaiscíoch istigh ionainn

Nuair atá an triúr dearthár —
fathaigh na seacht gceann, na seacht
mbeann is na seacht n-eireaball —
cloíte agat
is iad curtha agat de dhromchla na talún,
gad casta ar dtuathal
is a gcuid ceannaíocha
ar crochadh uaidh ar do bheilt agat,

is fiú nuair a bhíonn
an ollphiast ghránna a shúfadh isteach
i bpollaíocha a sróna tú
sáite le biorán cniotála is gnó glan déanta dhi,
a ceann scoilte go dtí poll
a himleacáin, is a teanga
gearrtha amach as a béal
is í ar sileadh ar nós cuma liom ó do mhéar,

iníon an rí ar láimh agat
is sibh ag déanamh díbh fhéin
i seanachúirt na bhfathach, fiú nuair a bhíonn
leanbh mic saolaithe daoibh i gcionn bliana
is tú i do choda beaga timpeall air
ag imirt "láimhín marbh, marbh, marbh,
buail é seo" leis, cuimhnigh
ná fuil deireadh fós le do shaothar.

Tá máthair an áil ar foluain
sa spás. Cailleach draíochta í.
Tagann sí a chodladh di féin
lá is oíche fés na scamaill,
lá is oíche fén bhfarraige
agus lá is oíche i gCuan an Chaoil.

Tá sí drochfhuadrach
ag tóraíocht do chuid fola
in éiric teangan a hiníne
is a triúr mac. Is tá buntáiste
is leathchoimirce aici ort
mar aithníonn sí sin tusa
is ní aithníonn tusa í.

57

Nuair a thagann sí i láthair
ná caill do cheann. Faoi mar a bheadh
gloine fíona ceangailte do do rúitín
siúil go réidh, a chroí, siúil go réidh.
Bain míotóg as do cheathrú,
más gá; cogain t'fhiacla, tóg trí anáil
dhoimhin, cruinnigh do mheabhair go maith
is ar do bhás, ná geit.

Iascach oíche

Caithfead dul go muineál i bhfarraige
faoi bhun faille,
leathlámh liom ag breith ar an bhfeamnach
a fhásann ar na fia-charraigreacha,
an leathlámh eile saor, i bhfearas
chun breith ar iasc.

Tá cailín coimhtheach i mo theannta.
Tá tuine ghallda ar a caint.
"Tusa go bhfuil léann na leabhartha
ort, ní foláir nó tuigeann tú í",
adeir m'aintín liom ina taobh.
"Uaireanta," a deirim, "uaireanta tuigim,
is uaireanta eile ní bhíonn ann ach faoi
mar a chloisfeá sioscadh ó shneachta lóipíneach
is é ag titim anuas ón spéir."

"Seo dhuit leabhar, is beir id láimh air
nuair a bheir i láir an phriacail."
"Ach conas a bhéarfad ar iasc
sa lámh chéanna!"
"Is cuma dhuit san, dein rud orm."
Deinim, is tógaim an leabhar uaithi.

Táim anois go muineál i bhfarraige
faoi bhun faille.
Tá greim agam le mo dheaslámh
ar an bhfeamnach,
sall ar chlé
tá iasc drithleánach fionnrua
go bhfuil faid banláimhe ann
ag caitheamh do ceathanna nimhe
is boghaisíní
díreach thar raon mo ghlaice.

An Sfioncs ag feitheamh le hOedipus

Imím liom sna splancacha tintrí
is stopaim daoine ar an tslí
is cuirim chúchu an cheist: — "Cén t-ainmhí
a shiúlann ar cheithre cos, ansan dó, ansan trí?"
de ghnáth
titeann siad ina bpleist
marbh i lár an bhóthair
is an té a fhreagraíonn mícheart
gheibheann sé bleaist
de m'anáil bhréan
is ní fhanann aon mheabhair ina cheann
as san go lá an Luain.

Níl insint bhéil ar mo scéimh,
— níor mhair fear inste scéil
a thabharfadh aon tuairisc abhaile! —
I ngaineamhlacht na hÉigipte
deineadh dealbh díom; deirtear
gur chuireadar corp leoin
ceann cait is sciatháin éin
i mo leith. Na 'madáin!
bhí fuar acu ag iarraidh breith
ar sprid atá gan chothrom, gan chóip
is gan substaint ar bith.

Is nach fada mé i mo shuí
gach oíche spéirghealaí
anseo ar dhroichead an mhuilinn
go bhfuilim bailithe dho.
Píb chré idir mo stodaí fiacaile
is mé ag feitheamh leis an té
a ghlacfaidh gal uaim
is a chuirfidh trí phaidir le m'anam.
Ní shean a chuirfeadh sé clog ar a theanga!

Is a ghaiscígh, a lingfeadh an téad
(dá olcas do choiscéim bhacaí)
bhí aingil i láthair ag do bhreith,
in ainneoin do ghiobal salach
is mac rí tú.

60

Tánn tú ag druidiúint i mo threo
cheana féin chím an ga gréine
ag glinniúint
ar scian na coise duibhe
gur geall le claíomh solais í.

Tá sé sa chinniúint
gur tú an fear beo
is fearr a bhuailfidh liom riamh;
go bhfreagróidh tú an cheist i gceart;
go dteaspánfaidh tú an cheist i gceart;
go dteaspánfaidh tú mo ghnúis dom,
chun go dtabharfad,
i ndiaidh na gcianta, aghaidh
is breith mo bhéil fhéin
ar mo chuntanós.

Bean an Leasa

Fuadach

Do shiúl bean an leasa
isteach im dhán.
Níor dhún sí doras ann.
Níor iarr sí cead.
Ní ligfeadh fios mo bhéasa dhom
í a chur amach arís
is d'imríos cleas bhean an doichill uirthi,
dúrt:

"Fan má tá deithneas ort,
is ar ndóigh, tá.
Suigh suas chun na tine,
ith is ól do shá
ach dá mbeinnse id thí'-se
mar taoi-se im thí'-se
d'imeoinn abhaile
ach mar sin féin fan go lá."

Rud a dhein. D'éirigh sí is bhí ag gnó
ar fuaid an tí. Chóraigh na leapacha,
nigh na háraistí. Chuir na héadaí
salacha sa mheaisín níocháin.
Nuair a tháinig m'fhear céile
abhaile chun an tae
n'fheadar sé na gurb í mise a bhí aige.

Ach táimse i bpáirc an leasa
i ndoircheacht bhuan.
Táim leata leis an bhfuacht ann,
níl orm ach gúna fionnacheoigh.
Is más áil leis mé a bheith aige
tá a réiteach le fáil —
faigheadh sé soc breá céachta
is é a smearadh le him
is é a dheargadh sa tine.

Ansan téadh sé 'on leabaidh
mar a bhfuil an bhean mheallaidh
is bíodh an soc aige á theannadh léi.
"Sáigh suas lena pus é,
dóigh is loisc í,

is faid a bheidh sí siúd ag imeacht
beadsa ag teacht,
faid a bheidh sí ag imeacht
beadsa ag teacht."

An cailín a bhí ina luch

Nuair a chonaic m'athair
bean an leasa
ag déanamh treaspas
ar a thalamh
dúirt sé go bagarthach
"A ruidín ghránna shalaigh,
bí amuigh as mo ghort
nó sáfad na madraí leat,
gabhfad de bhuillí ort
is beidh seanabhlas agat ar do chosa
agus teann deabhaidh ag imeacht ort."

Labhair sí i leith a cúil
thar n-ais leis.
"Gura sheacht mheasa ná mise
t'iníon féin feasta.
Má théann sí amach thar doras
as seo go ceann seacht mbliana
nára theacht ina beatha sláinte dhi,
go raibh an liathbhuí uirthi
is dá áilleacht í
ag dul thar tairsing
go dtaga sí isteach ina luch."

Ach "a mháistreás, a mháistreás,"
a dúirt a cailín aimsire,
"Tánn tú ródhian uirthi,
tánn tú imithe thar chuimse.
Tabharfadsa mar bhreith uirthi
is mar gheasa droma draíochta
go mba ana-amhránaí í,
go raibh an ceol sí aici
is mar bharr ar gach aon ní
gurb í an meaintín is fearr sa tír í."

Mar sin a bhí.
Do chuir m'athair suim
agus nath sa scéal seo.
I gcónaí is mé i mo ghearrachaile beag
bhíodh an doras iata orm.

Bhí mar a bheadh beirthe i mball cúng orm.
Is nuair a dh'éiríos suas chun coinlíochta
is mé i mo chailín óg
n'fhéadfainn cur suas leis níos mó.

Do ghoideas an eochair
as póca a bheiste
nuair a bhí sé ina chodladh.
Do chuas amach an doras
i m'ainnir mhín mhánla
ach nuair a thángas isteach arís
bhíos i mo luichín mhaol bháite.

Is dá bhfaighinnse dul
go teach an rí
mar a bhfuil leacacha sleamhaine
is gur deacair teacht as.
Tá sé amuigh
ar oileán sa bhfarraige
is tá fios curtha orm
dá mb'áil liom dul ann.
Táim scólta le náire
toisc go bhfuil cuma na luchóige orm.
Táim ag cur is ag cúiteamh
is n'fheadar an raghad ann.

Ach má théim, tá a thoise agam
is tá's agam cad a dhéanfainn.
Do chuirfinn corcán uisce fliuchaidh
ag bogadh ar an dtine
is nífinn cosa an rí ann.
Bhréagfainn a chodladh é
le mo ghuthaireacht amhráin
is a cheann i m'ucht
chun go bhfanfadh sé sa chnap suain sin
as san go ceann trí lá
is nuair a dhúiseodh sé déarfadh
gur mé an t-ábhar mná
is fearr a bhí riamh agena mhac
is thabharfadh sé trian don dtalamh dúinn.

Fairis sin, i mo mheaintín
do dhéanfainn díol rí

do léine dho.
Í déanta as ceambric
gan uaim gan filleadh
gan lúb ar lár nó fáithim inti.
Nuair a chífidh sé na léinte
a dhéanfadh na mná eile
ní dhéanfadh sé seoid
ach iad a chaitheamh sa lathach
is gabháilt ag pasáilt orthu
á rá ná caithfeadh a bhuachaillí aimsire iad
is do gheobhaimis trian eile den dtalamh uaidh.

Is dá bhfaighinnse trí gháire
a bhaint as bean an leasa
do bheadh deireadh leis na geasa
is do bheadh liom.
Leis an gcéad gáire bheadh trian di,
leis an tarna ceann a formhór
is leis an tríú ceann bheadh trí treana agam
is bheinn arís i mo bhean.
Ach táim anseo ar an gcé uaigneach
is gan eolas agam cur chuige,
tá na báid bheaga iompaithe béal faoi
is mé ag feitheamh leis an uain farraige.
Seo libh, cabhraíg' liom.

A bhean a ghaibh isteach

A bhean a ghaibh isteach
i lár mo dháin
nach leor leat a bhfuil
de dhochar déanta cheana
é scaipithe chun fáin
seachas a bheith ag cur
barr maise leis an dtarcaisne
trí bheith ag lorg cuntaisí
ar conas sa diabhal a dheinim
é a scríobh.

Táimse i gcairdeas Críost
le bean an leasa
ó sheasas lena leanbh
ins an lios.
Bhí sí buíoch díom toisc
gan a bléitse a loiteadh
leis an luaith
ach í a fhliuchadh síos go maith
seachas í a raideadh
amach ar an mbuaile
mar a dheineann na mná eile.

Thug sí de bhreith orm
ná beadh im mheadar feasta
aon bhraon bláthaí amháin
ach anois nó gur thángais orm
ach anois nó gur thángais orm
i lár na cuiginne
is gur lorgais bláthach orm
is gan í agam le tabhairt
tá scéite orm.

Seans ná beidh sí buíoch díom
an scéal a scaipeadh
is go dtiocfaidh an diabhal de ghomh
uirthi dá bharr
ach toisc go bhfuil Críost eadrainn
ní mór an dochar
is féidir léi a dhéanamh

70

mura gcuirfidh sí an braon,
ar mhullach mo thí,
as so go lá mo bháis.

Bíodh san de thoradh agat
ar do chuid fiosrachta is neamaitheasa,
ar do thiarnúlacht,
a bhean a ghaibh isteach.

Thar mo chionn

Bhíos ag teacht ón muileann
le titim na hoíche
agus rolla bréidín agam faoim ascaill
é níte glan á thabhairt abhaile
is nuair a thángas go dtí Béal na Leapan
do sheas an bhean romham ins an mbóthar.
"Tá leanbh buartha anso istigh
is ní féidir leo é a chur a chodladh.
Téir isteach is tabhair an chíoch dó,"
a dúirt sí.
Bhí a fhios agam nach raibh aon tigh
i ngiorracht dhá mhíle
ach oiread is atá anois.
Do tháinig cith allais amach tríom le heagla
ach ní raibh aon dul as agam.
"Cad a dhéanfad lem bhréidín," a dúrtsa
ag iarraidh í a chur ar fán ón gcúrsa.
"Ó, fág anso é, ní baol do,"
arsan bhean eile
is do threoraigh sí isteach 'on lios mé.

Do bhí an leanbh ag béicigh
is do chuireas ar mo bhrollach é
is níorbh an mhoill dom
go raibh sé ina chnap agam.
Ansan tógadh uaim é
is cuireadh a chodladh é
is seoladh chugham trádaire
go raibh sólaistí an domhain air.
"Mhuise," a dúrtsa im bolg,
"gasracht is galántacht,
foirc agus sceana,
síodaí clárach agus
beagán bídh."

Bhíodar á theannadh liom,
"Neó, go raibh maith agaibh,
ní ithim age baile, fiú.
Tá an iomarca meáchana
curtha suas agam le ráithe

agus táim ar *diet*, an dtuigeann sibh,
fós go raibh míle maith agaibh."

Nuair a threoraigh bean an leasa
amach ar an mbóthar mé
dúirt sí gur mhaith an mhaise dhom
ná chuireas ruainne bídh im bhéal
nó go mbeadh acu buannaíocht orm.
"Is fearr a bheidh tú bliain ó inniu
ná dá dtabharfá diúltamh dom.
Is gearr go mbeidh a dhóthain bídh
ag an leanbh san. Tá cailín beag
istigh faoin dtír ag iompar linbh
i ngan fhios don saol
is nuair a thiocfaidh a ham tiocfaidh
an chlann is le barr sceimhle
is doichill roimpi titfidh an t-anam aisti
is beidh sí againn."

Níor chuireas nath nó suim
·i gcaint seo bhean an leasa,
is mó rud ráite aici-sin cheana
ag cur dallamullóg ar mo leithéidse
is bhí sceitimíní geala orm
gur thugas na cosa liom
chomh rábach an turas san.

Go dtí ar maidin
gur osclaíos an páipéar
is chonnac romham an scríbhinn,
cad a bhí ann ach mo scéal.
Do tháinig fuarallas orm,
do phléasc na deora tríom
is mo ghraidhin í an créatúirín,
an cailín beag cúig mbliana déag
a chuaigh ag cur cúraim linbh di i gcoill
in aice le "grotto". Siúráilte
is í a chuaigh thar mo chionn don éag
is tá sí acu sa lios gan bhréag.

Is Ó, a bhean an leasa,
is í seo an bheart is measa
a dheinis le tamall.

73

Tánn tú imithe ró-fhada.
Is mura gcuirfeadsa stop seasta
le do shiúl láin feasta
go raibh meaththrácht orm!

An crann

Do tháinig bean an leasa
le Black + Decker,
do ghearr sí anuas mo chrann.
D'fhanas im óinseach ag féachaint uirthi
faid a bhearraigh sí na brainsí
ceann ar cheann.

Tháinig m'fhear céile abhaile tráthnóna.
Chonaic sé an crann.
Bhí an gomh dearg air,
ní nach ionadh. Dúirt sé
"Canathaobh nár stopais í?
nó cad is dóigh léi?
cad a cheapfadh sí
dá bhfaighinnse Black + Decker
is dul chun a tí
agus crann ansúd a bhaineas léi
a ghearradh anuas sa ghairdín?"

Tháinig bean an leasa thar n-ais ar maidin.
Bhíos fós ag ithe mo bhricfeasta.
D'iarr sí orm cad dúirt m'fhear céile.
Dúrtsa léi cad dúirt sé,
go ndúirt sé cad is dóigh léi,
is cad a cheapfadh sí
dá bhfaigheadh sé siúd Black + Decker
is dul chun a tí
is crann ansúd a bhaineas léi
a ghearradh anuas sa ghairdín.

"Ó," ar sise, *"that's very interesting."*
Bhí béim ar an *very.*
'Bhí cling leis an *-ing.*
Do labhair sí ana-chiúin.
Bhuel, b'shin mo lá-sa,
pé ar bith sa tsaol é,
iontaithe bunoscionn.
Thit an tóin as mo bholg
is faoi mar a gheobhainn lascadh chic
nó leacadar sna baotháin

líon taom anbhainne isteach orm
a dhein chomh lag san mé
gurb ar éigin a bhí ardú na méire ionam
as san go ceann trí lá.

Murab ionann is an crann
a dh'fhan ann, slán.

Mandala

Cé go bhfuil sciatháin ar mo chroí
ní liom féin iad,
tá siad ar iasacht agam
ón bhfiolar a bhíodh sa chnoc
gur chaitheas tráth aoibhinn m'óige
ar thaobh na fothana dho.

Táim chun dul ar an dturas
go Teampall Chaitlíona,
áit a bhfuil sinsir mo chine
is sliocht seacht sleachta
de mo mhuintir
curtha.

Do nocht an naomh a gnúis
Dé Domhnaigh dom i bhfís
— táim cinnte dhe
nach rabhas i mo chodladh —
is ba ghránna, mísciamhach
neambreá

a ceannaithe is a deilbh
snoite as eibhear
is í ag cur scaimheanna uirthi féin
is ó shoin
is rómhór é m'eagla
go bhfuil sí go dubh i bhfeirg liom

is dá dtitfinn i bhfarraige
as bád
nó dá n-éireodh an tuile
os mo chionn ná fillfeadh sí
a haprún seicear timpeall orm
chun mé a thabhairt slán ar an dtráigh

nó dá dtiocfadh cóch gaoithe orm
go hobann ag Cuas na Míol
'om scuabadh glan den bhfód
ná lasfadh sí
a ceithre solaisín gorm go maidin
'om chosaint ar an bhfaill.

77

Ach ó chuireas i mo chroí dul ann
táim sona.
Aréir trím' chodladh
taibhríodh dom
peidhre fiolar ag cabhrú liom
an t-ard a dhreapadh.

Iad á n-iomlasc féin
sa log
sa bhfaill os cionn an locha,
an dúiche uile is an cnoc
bodhar
agena scréacha allta.

Thíos fúinn
luíonn an paróiste iomlán
faoi aon bhrat draíochta amháin.
Ta Fionn ag bailiú bairneach
lena bhior sa Chuan
nó ag imirt báire leis an ngallán mór

i ngort an tSíthigh.
Tá Bran agus Sceolainn
ag fiach sa Mhóin Mhór
is Prionsa na Breataine Bige
ina churrachán ornáideach
ag teacht i dtír ar an bport

mar a bhfuil tráigh mín leathanaoibhinn Fionntrá
ag mionnú is ag géarú roimis.

Turas Chaitlíona

Bhí an lá gránna salach,
chuas thar an seanduine i mo chairt.
Dhruid sé isteach 'on díog uaim.
Is fada é damanta
ag na cairteacha céanna
ar eagla go mbainfidís dá bhonnaibh é.

"Tá sé ina bhrothall,"
arsa mise mar mhagadh,
"Ní raghair 'on turas?"
"Turas, cad é turas?
— ní raibh aon ghnó agamsa do thuras
ó tháinig an *dentist* 'on Daingean."

B'fhíor do.
Turas do thinneas fiacaile é seo,
is tá's agam go maith
dá raghfá 'on teampall
is ceann duine mhairbh
a fháilt istigh in uaigh ann
is fiacail a bhaint as
is í a chur síos i dtóin do phóca
ná beadh aon tinneas fiacaile
aríst go deo ort.

Deonaigh, a Chaitlíona,
go bhfaigheadsa fiacail
nimhe a leigheasfaidh
an nimh atá i mo chroí.

Ní mór nimh a chur
ag coimheascar nimhe.

An turas

Dhorchaigh an lá go hobann.
Cé nach raibh sé ach a trí
ba dhóigh leat gurb í an oíche í.

D'fhanamair istigh sa chairt.
D'fhéach fear m'aintín thart.
"Déanfaidh sé raiste ceatha
is tá sé chomh maith againn fanacht léithe."

Bhí an ceart aige. D'oscail na flaithis
is thit múrtha báistí anuas go talamh.
"Dhera, ní ghlanfaidh sí seo go maidin,
tá sé chomh maith againn dul abhaile."

Dul abhaile! — tar éis mise a theacht
faid gach nfhaid, suas le seacht
n-uaireanta a chloig cruaidhthiomána
ó Bhaile Átha Cliath! — dul abhaile

is mo thuras a bheith tugtha in aistear
agam ab ea? — beag an baol air, mhuise!
Dar mo leabhar breac
go dtabharfainnse mo sheacht
róund den dteampall ar deiseal
dá gcaithfinn snámh ann!

Bhogamair linn.
B'fhiú féachaint orainn, —
cótaí plaisteacha go heireaball,
cuma na scríbe
má bhí ar éinne riamh,
brógaí tairní is *wellingtons*.

D'iarramair trócaire
is cabhair ó Dhia
nó munar iarramair
do ligeamair do.
Ní cuimhin liom gur ghaibh
oiread is paidir thar mo bhéal
munar thugas mallacht Dé is deamhan

80

do uaigh mhuintir an Oileáin
a bhi ag clabhtáil mo chromáin
is mé ag sleamhnú ar an bhfionnán
ag iarraidh coimeád suas
leis na bróga tairní

go raibh spin siúil fúthu
d'eagla báistí.
Ach is cuma san.
Pé ar bith sa domhain
rud a dh'éirigh dom,
d'oibrigh sé.

Mar níl mo ghairdín ina fhásach
níos mó; tá dhá phósae bhreátha
ag eascar ann go rábach.
Is i lár an gheimhridh istigh,
i gcroí an dúluchair,
misneach agus intinn ard is ainm dóibh.

Gnáthchomhrá laethúil

D'inis sé di i dtaobh a thaibhrimh; —
go raibh bean a theaspáin an doras dó,
an t-am, an áit, is fiú an tsráid
ar a raibh sé suite; gurb é an seoladh
ná asal is bodhrán is stumpa tincéara
is Dún na Banríona faoi bharr lasrach.
Is é a dúirt sí leis i bhfreagra
ná go raibh spiorad i dtobar sa Mhuir Rua
is seidhleán ar sceitheadh i lár an ghaineamhlaigh.

Admháil

Riamh ó shiúlais síos an bóithrín caol
isteach trí fhál na sceach,
ó d'oscail an geata cláir sa chlaí dhuit,
ó bhí oigheannta fliuchaidh ar dheis is ar chlé díot
is caortha dearga fearthainne is gaoth ann
trí na tinte geala agus solas ina súile
gur mó ná seacht sleán déag móna an tine ba lú acu,
tá claochló ort.
Tánn tú barradhóite go maith —
chomh dubh le daol
chomh cruaidh le criostal,
aon ní go leagann tú do láimh air
déantar péarlaí agus clocha scáil do
is cé go ndúirt mo mháthair liom
go minic is go mion
gan a bhreacadh riamh le peann aon ní
ná beinn sásta seasamh leis i gcúirt dlí
caithfead a admháil, aon uair dheireanach amháin
go dtugaim duit gean.

Clann Horatio

Dos na hIntleachtóirí inár measc

"Tánn tú piseogach"
a dúirt an fear liom.
D'admhaíos go rabhas.
Dúrt, fiú, ná téim riamh amach istoíche
gan *kitchen devil*
sáite i dtóin mo phóca agam.

Kitchen devil?
"Dhera, tás agat
na sceana cisteanach atá go diabhail
chun glasraí a scriosadh nó prátaí
a scú, cé nach chúchu san a bhíonn sí agam
ach mar gheall ar an gcos dhubh."

"An chos dhubh?"
"Dhera, ná chualaís trácht tharais
scian na coise duibhe.
An t-aon ní amháin a fhóireann
.i gcoinne amhailt san oíche; —
sáigh is ná tairrig.

Is bhí fear i nDún Chaoin
ní fadó ó shoin
(ní déarfaidh mé a ainm)
is ní raibh maidin dá ngaibheadh
duine éigint an tslí ná faighidíst a scian
sáite i lár tor aitinn."

D'fhéach mo dhuine orm
go maith.
Tá sé ag féachaint ó shoin orm
N'fheadar sé conas a thógfaidh sé
an scéal
nó an bhfuilim dáiriribh ina thaobh.

Dhera, ná fuilimse dáiríre i gcónaí
is dála mo mhuintir faoin dtuath
cé ná creidimid puinn i faic

fós ní bhréagnaímid éinní
mar tá níos mó ar thalamh is ar neamh
ná mar is eol díbhse, a chlann Horatio.

Amhrán grá

Chomhaireoinn na réaltaí sa spéir duit,
an camachéachta, an tréidín, an mol.
D'ainmneoinn éanlaith an aeir duit,
an gabhairín reo, an diairmín, an lon.
Thabharfainn chughat bláthanna an mhóinéir,
an falcaire fiain, an t-athair talún
ach b'fhearr liom ná aon chuid den méid sin
do cheann dubh ciúin a bheith á fheiscint uaim.

Spalpfainn ort carraigreacha Gaolainne
(t'r'om carraig, t'r'om carraig, aon charraig amháin)
samplaí ó bhéaloideas Éireann
an sáspan dubh cac an ghandail bháin.
Dá nglaofá gach aon ní féin spéir orm
leidhbeog óinsí, raicleach, toice is bum,
ba chuma liom faoi aon chuid den méid sin
ach do bhéilín binn a bheith ag teannadh liom.

Atáin

Labhrann Medb

Fógraím cogadh feasta
ar fhearaibh uile Éireann,
ar na leaids ag na cúinní sráide
is iad ina luí i lúib i gceas naíon,
a bpilibíní gan liúdar
is gan éileamh acu ar aon bhean
ach le teann fearaíochta is laochais
ag maíomh gur iníon rí Gréige
a bhí mar chéile leapan aréir acu,
is fógraím cogadh cruaidh feasta.

Fógraím cath gan truamhéil
gan cur suas is gan téarmaí
ar laochra na bhfiche pint
a shuífeadh ar bhinse taobh liom,
a chuirfeadh deasláimh faoi mo sciortaí
gan leathscéal ná gan chaoi acu
ach iad ag lorg iarraim cúis
chun smacht a imirt ar mo ghéaga,
is fógraím cath gan truamhéil orthu.

Tabharfad fogha feasta
tré thailte méithe Éireann
mo chathláin réidh faoi threalamh,
mo bhantracht le mo thaobh liom,
is ní tarbh a bheidh á fhuadach,
ní ar bheithígh a bheidh an chlismirt
ach éiric atá míle uair
níos luachmhaire, mo dhínit;
is fógraím fogha fíochmhar feasta.

Cú Chulainn I

A fhir bhig, dhoicht, dhorcha,
a Chú Chulainn,
go bhfuil an scealp fós bainte as do ghualainn
gur chaithis do chéad trí ráithe i bpluais
ar snámhán in uiscí do mháthar.

A uaimháitreoir, a réadóir,
ná tabharfadh an oiread sin sásaimh do mhná
a rá is nár ghabha t'athair i mbaile beag cósta
mar Bhaile an Bhuinneánaigh is nár dhein sé
airm is trealamh cogaidh a ghaibhniú duitse

chun go léimfeá as broinn do mháthar
trí nóiméad tar éis do ghinte
le lán do ghlaice de shleánna
is le cúig cinn do chlaimhte,
ní sinne faoi ndeara do ghoineadh.

Tagaimidne leis, mná, as broinnte
is tá an dainséar ann i gcónaí
ar maidin, istoíche, nó fiú tráthnóna
go maidhmfeadh an talamh is go n-osclódh romhainn
Bruíon na hAlmhaine nó Brú na Bóinne

nó Teach Da Deirge gona sheacht ndoirse
is a choire te.
Ná hagair t'óige orainne níos mó
a fhir bhig, bhoicht, dhorcha,
a Chú Chulainn.

Cú Chulainn II

"A mháthair," ol Cú Chulainn,
"raghad chun na macraidhe.
Inis dom cá bhfuilid
is conas raghad ann.
Táim bréan de bheith ag maireachtaint
ar immealbhoird bhur saolna,
caite i mo chnap ar leac thigh tábhairne
nuair a théann sibh ag ól pórtair,
ag crústadh cloch ar thraenacha
nó ag imirt póiríní le leanaí beaga,
ag féachaint ar na mairt á leagadh
nuair a bhíonn sibh ag búistéireacht
nó ar lasracha na dtinte cnámh
ag léimt sa tsráid go luath Oíche Shin Seáin.

Ach sara bhfágfad
cur uait do chniotáil
is bain an feaig as do bhéal neoimint,
abair liom aon ní amháin
is ná habair níos mó — a leithéid seo,
cé hé m'athair?"
D'fhéach Deichtine, a mháthair,
idir an dá shúil air.
D'oscail sí a béal chun rud a rá
ach dhún aríst é is ní dúirt sí faic.
Ní thugann mná tí stuama
freagra díreach ar cheist chomh dána léi.
Dá ndéanfadh seans go n-imeodh
an domhan mór uile ina raic.

91

Agallamh na Mór-Ríona le Cú Chulainn

Do thángas-sa chughat
i bhfoirm ríona,
éadaí ildaite orm
agus cuma sciamhach,
le go mbronnfainn ort cumhacht
agus flaitheas tíre,
an dúiche inmheánach
ina hiomláine,
críocha uile an anama
i nóiméad aimsire,
a bhforlámhas uile
is a nglóir siúd
mar is ar mo láimh a tugadh é
chun é a bhronnadh
ar cibé is áil liom.
Thugas chughat mo sheoda
is mo chuid eallaigh.

Ach nuair a shleamhnaíos
'on leabaidh chughat
dúrais, "Cuir uait!
Ní tráth imeartha í seo.
Ní ar son tóin mná
a tugadh ar talamh mé!
Bhí an domhan mór uile
le bodhradh fós
le do ghníomhartha gaile,
bhí barr maise
le cur ar do ghaisce,
is do thugais droim láimhe orm
murar thugais dorn iata.
All right, mar sin,
bíodh ina mhargadh,
beatha dhuine a thoil.

Ach is duitse is measa
nuair a bhead i measc do naimhde.
Tiocfad aniar aduaidh ort.
Bead ag feitheamh ag an áth leat.
Raghad i riocht faolchon glaise

92

i ndiaidh na dtáinte
is tiomáinfead ort iad.
Raghad i riocht eascon
faoi do chosa
is bainfidh mé truip asat.
Raghad i riocht samhaisce maoile
i gceann na mbeithíoch
chun gur diachair Dia dhuit
teacht slán ónár gcosaibh.
Seo foláireamh dóite dhuit,
a Chú Chulainn.

Labhrann an Mhór-Ríon

Mo shlánú

Mise an tseanbhean
a thagann it fhianaise.
Táim ar leathcheann,
leathshúil, leathchois.
Bleáim bó
ar a bhfuil trí shine.
Iarrann tú
deoch bhainne orm.

Tugaim duit bolgam.
Ólann tú siar é.
"Beannacht Dé is aindé ort."
Imíonn an phian
a bhí ag ciapadh m'easnaíocha,
an trálach ó mo lámh, an ghoin ó mo chois,
leis an tríú bolgam leamhnachta
téarnaíonn agus is slán mo leathrosc.

Toisc gur tú
a ghoin ar dtúis mé
le ladhar do choise,
le do chrann tabhaill,
ní raibh i ndán dom
feabhsú it éagmais,
cé gur de do dhearg-ainneoin
a thugais uait an leigheas.

Go carnadh cnámh, go brách beannachtan
is cuma an deoch uisce nó bolgam bainne
nó babhla anraith a dheineann an bheart,
i ndeireadh na dála is na margaíochta
díolann tú t'oidhreacht
de dheasca tarta,
tagaim slán ó do ghoin
de bhíthin t'íocshláinte.

An Mhór-Ríon ag cáiseamh na baidhbhe le Cú Chulainn

Ní ghlacfá liomsa nuair a thángas
i mo ríon álainn, mar phósae phinc ar chrann.
Bhí mo chuid banúlachta róláidir duit
a dh'admhaís ina dhiaidh sin do chara
is tú ag ól ina theannta.
Eagla, siúráilte, go gcoillfí tú
go mbeadh fiacla bréige ar mo phit,
go meilfí tú idir mo dhá dhrandal
mar a dhéanfaí le coirce i muileann
is cíor mhaith agam chun do mheilte.
A raispín diabhail, a fhir mheata, a stumpa 'madáin!
ní mise ba mheasa riamh duit go mór
ná go fada. Tá bean eile i t'aice.
Is í an léirmheirdreach í. Tá sí dorcha
is níl aon truamhéil inti, deor ná dil.
Bheadh sé chomh maith agat bheith ag iarraidh
fuil a fháisceadh as na clocha glasa
ná bheith ag tláithínteacht léithi sin.
(Cuimil do mhéar do chloich.)

Is nílim féin saor uirthi.
Táim admhálach gur ar éigin
a thugaim na cosa liom.
Glaonn sí ar an bhfón orm
maidneacha Aoine is deireann:
"Tair i leith is tabhair leat buidéal fíona
is beir chun bricfeasta agam."
Chun bricfeasta, — bead mhuis,
mé fhéin is m'anlann géann
dála na coda eile!
Dúisíonn sí go hocrach tar éis sámhchodladh
(Tá coinsias chomh hantréan aici
ná deineann sí nath ar bith
des na corpáin ag at is ag séideadh faoin leaba).
is í ag priocadh léi go néata
ina slipéirí sáilí arda trés na
cairn chnámh, le teann mioscaise
is diablaíochta ag iarraidh toirmisc
a chothú eadrainn.

95

Is í an bhadhb í,
ar foluain os cionn an tslua.
Priocann sí na súile
as na leanaí sa chliabhán.
Is í an scréachán í,
éan búistéara;
beidh do chuid fola
ina logaibh faoi do chosa;
beidh do chuid feola
ar crochadh
ina spólaí fuara
ó chruacha stíl
mura bhfuil an méid sin
déanta cheana
mar ní ar do dhealbh
in Ard-Oifig an Phoist amháin
a chím í suite
ar do ghualainn,
a Chú Chulainn.

Dhá iasc

Dhá iasc is ea do shúile
ag snámh i linnte gloine glanuaithne.
N'fheadar an le gliocas nó le cúthaileacht
a shnámhann siad anonn is anall
ar fuaid an tseomra.

Ach scaoilfead síos anocht
mo líonta órga
is b'fhéidir go mbéarfainn orthu
i mo mhogail mhóra.

Iarúsailéim

Nuair a chuimhním ort
líonann de bhainne mo chíocha.
Is mé Iarúsailém, an chathair naofa
mar a bhfuil mil agus uachtar
ag gluaiseacht ina slaodaibh.
Tá mo mháithreacha leagtha ar charmhogail,
mo dhúshraith ar shaifírí.
Tá binn agus buaic orm déanta de rúibíní,
is de chriostal mo chuid geataí.

Ar ndóigh, ní déarfaidh mé leat é.
Beag an baol, mhuise, — gheofá ceann ataithe.
Ní thabharfainn an oiread sin sásamh duit
le go gceapfá gur le teann grá é.
Bí cinnte dhe nach bhfuil aon leigheas agam air,
ná a mhalairt,
níl ann ach gur baineannach mé
de chuid na n-ainmhí mamalach.

An ribe ruainní

Scéal a léas i leabhar
i dtaobh banphrionsa
a chonaic i dtaibhreamh
go raibh sí pósta le habhac

is go raibh ribe rua ruainní
mar chomhartha pósta
dlúthcheangailte dá méar
i bhfáinne buan.

Dúisíonn sí is cith
fuarallais tríthi.
Beireann sí buíochas le Dia
ná fuil sé fíor

is nach bhfuil sa scéal uafáis
ach fuíoll drochthaibhrimh,
ach nuair a fhéachann síos tá an fáinne
ar méar a láimhe clé.

Mise a dhúisíonn maidineacha
as tromluíthe.
Tá an ribe ruainní
ar mo mhéar.

"Cabhair, cabhair, a mhéir,"
ba mhaith liom scréachach.
"Fáisc, fáisc, a ribe,"
a deir an t-abhac.

Bláthanna

Tá bláth ar an dtáthfhéithleann
atá chomh bán
le lámh mná óige nó do lámhsa.
Tá na clathacha lán díobh
an dtaca seo bhliain.
Osclaíonn gach crobh i mo threo
is éilíonn rud orm
nach féidir liom a thabhairt dóibh.

Ná hachanaigh orm níos mó,
geobhad bás,
dún do dhá dhorn.

Tá súil ag an nóinín mór
atá chomh tláth
chomh lán de thruamhéil le súil bó.
Féachann na súile seo orm céad uair
sa ló nuair a ghabhaim thar bráid
na lantán ina bhfásaid.
Féachann do shúilese orm ar aon chuma
leo is cránn siad an croí ionam.

Ná féach orm níos mó,
geobhad bás,
dún do dhá shúil.

Muirghil ag cáiseamh Shuibhne

"Deinim loigín lem sháil
i mbualtrach na bó
doirtim isteach an bainne ann,
é seo fód do bháis."

"Na laethanta seo
is féidir leis uaireanta a chloig
a chaitheamh ag féachaint amach an fhuinneog.
Tagann scéinshúilí móra air
má thagann tú air go hobann,
aniar aduaidh, mar a cheapann sé.
Ólann sé a chuid tae as sásar.
Níl lí na léithe aige.
B'fhuirist a dh'aithint riamh air
gurb í an déirc a bheadh mar dheireadh aige."

"Sciorr isteach
ól mo bhainne
sciorr amach aríst."

"Tá sé gearánach
as na pianta cnámha, a dhochtúir.
Deirimse leis go bhfuil na pianta cnámha *all right*
go dtí go dtéann siad sa cheann ort.
Joke a bhíonn ar siúl agam, tá's agat.
Fós, bíonn sé de mhisneach ann
tabhairt faoin dtráigh is é coslomnochtaithe.
Dá gcaithfeadh sé fiú na lóipíní a chniotáilim dó
ba chuma liom
ach is suarach leis iad.
É féin an fear, go raibh maith agat,
ná raibh maith agam a bhíonn i gceist aige
tá's agam."

"Tair abhaile
ól mo bhainne
tá do shaesúr thart
tá do chúrsa tugtha."

"N'fheadar in aon chor cad a déarfaidh mé leat, a athair.
Dúirt sé liom gan glaoch ar shagart.
Tá sé deacair rudaí mar seo a mhíniú ar an bhfón.
Tá sé amuigh sa ghairdín ó mhaidin
is é ceangailte de chrann
le téad ruainní.
É fhéin a dhein leis féin é.
Níor thuigeas-sa go raibh aon ní suas
go dtáinig leathmhaig ar a cheann
is gur lonnaigh an préachán cosdearg
ar a ghualainn chlé.
Ó, táim cortha aige,
táim curtha glan as mo mheabhar aige."

> "Deinim loigín lem chois
> i mbualtrach na bó
> doirtim isteach an bainne ann,
> é seo fód do bháis."

Claoninsint

Tá's againn, a dúradar,
cár chaithis an samhradh, a dúradar,
thíos i mBun an Tábhairne, a dúradar,
cad a dheinis gach lá, a dúradar,
chuais ar an dtráigh, a dúradar,
níor chuais ag snámh, a dúradar.
Canathaobh nár chuais ag snámh?
mar bhí sé rófhuar, a dúradar,
rófhuar do do chnámha, a dúradar
do do chnámha atá imithe gan mhaith, a dúradar
bodhar age sámhnas nó age teaspach gan dúchas
gur deacair dhuit é a iompar, a dúradar.

Dán do Mhelissa

Mo Pháistín Fionn ag rince i gcroí na duimhche,
ribín i do cheann is fáinní óir ar do mhéaranta
duitse nach bhfuil fós ach a cúig nó a sé do bhlianta
tíolacaim gach a bhfuil sa domhan mín mín.

An gearrcach éin ag léimt as tóin na nide
an feileastram ag péacadh sa díog,
an portán glas ag siúl fiarsceabhach go néata,
is leatsa iad le tabhairt faoi ndeara, a iníon.

Bheadh an damh ag súgradh leis an madra allta
an naíonán ag gleáchas leis an nathair nimhe,
luífeadh an leon leis an uan caorach
sa domhan úrnua a bhronnfainn ort mín mín.

Bheadh geataí an ghairdín ar leathadh go moch is go déanach,
ní bheadh claimhte lasrach á fhearadh ag Ceiribín,
níor ghá dhuit duilliúr fige mar naprún íochtair
sa domhain úrnua a bhronnfainn ort mín mín.

A iníon bhán, seo dearbhú ó do mháithrín
go mbeirim ar láimh duit an ghealach is an ghrian
is go seasfainn le mo chorp idir dhá bhró an mhuilinn
i muilte Dé chun nach meilfí tú mín mín.

Parthenogenesis

smut as dán fada

Tráth do chuaigh bean uasal de mhuintir Mhórdha
(a bhí pósta le seacht mbliana is gan aon chlann uirthi)
ag snámh sa bhfarraige mhór lá aoibhinn samhraidh.
Is toisc gur snámhaí maith í is an lá
chomh breá le haon uain riamh a bhí in Éirinn,
gan oiread is puth beag gaoithe ins an aer,
an bhá iomlán ina leamhach, an mhuir ina léinseach,
mar phána gloine ar chlár, níor chás di bualadh
go rábach amach go dtí na huiscí móra.
Le teann meidhréise is le scóip sa tsaol
do chuir sí a ceann faoi loch is cad a chífeadh
ag teacht idir í is grinneall na mara thíos
ach faoi mar a bheadh scáth fir; gach cor
do chuir sí di lastuas do lean an scáth í
is d'éirigh go raibh sé i ngiorracht leathorlaigh.
Do gheit a croí, do stad a glór ina béal,
do bhí a cuisle ag rith is ag rás ina cléibh
gur bheag nár phléasc a taobh; do tháinig gráinníní
ar a craiceann nuair a bhraith sí oighear na bhfeachtaí
íochtaracha ag dul go smior na gcnámh inti, is suathadh
síos an duibheagáin ag bodhrú a géag, an tarrac ciúin
taibhriúil fomhuireach; an fonn éaló i measc sliogán
is trilseán feamnaí go ndéanfaí ar deireadh coiréal bán
dá cnámha is atóil mhara, diaidh ar ndiaidh, dá lámha;
péarlaí dá súile dúnta i dtromhshuan buan
i nead feamnaí chomh docht le leaba chlúimh.
Ach stop! Pé dúchas gaiscíochta do bhí inti,
d'éirigh de lúth a cnámh is de shraimeanna a cos
is thug aon seáp amháin don tráigh; le buillí aiclí
do tháinig den ráig sin ar an ngaineamh.
Deirtear go raibh sí idir beatha is bás ar feadh i bhfad
ach fós trí ráithe ina dhiaidh sin go dtí an lá
do saolaíodh mac di, is bhí sí féin is a fear
chomh lán de ghrá, chomh sásta leis gur dearmadadh an scáth
is ní fhaca an rud a thug mná cabhartha amháin faoi ndeara,
faoi mar a bheadh scothóga feam, gaid mhara is iascáin
ag fás i measc gruaig an linbh, is dhá shúil mhóra ann
chomh gorm is chomh tláth le tiompáin mhara.

105

Scoláire bocht do ghaibh an treo is fuair óstaíocht
sa tigh a thug faoi ndeara nár dhún na súile riamh
d'oíche ná de ló is nuair a bhí an saol go léir
ina gcodladh is é cois tine leis an mac do chuir an cheist
"Cér dhíobh tú?" Is fuair an freagra pras thar n-ais,
"De threibh na mara."

Instear an scéal seo, leis, i dtaobh thíos do chnoc
I Leitriúch na gCineál Alltraighe, cé gur ar bhean
de mhuintir Fhlaitheartaigh a leagtar ansan é. Tá sé acu
chomh maith theas in Uíbh Ráthach i dtaobh bhean de muintir Shé
is in áiteanna eile fan cóstaí na hÉireann.
Ach is cuma cér dhíobh í, is chuige seo atáim
gurb ionann an t-uamhan a bhraith sí is an scáth
á leanúint síos is an buaireamh a líon
croí óg na Maighdine nuair a chuala sí
clog binn na n-aingeal is gur inchollaíodh
ina broinn istigh, de réir dealraimh, Mac Dé Bhí.

Báidín guagach

Báidín guagach mé
ar shruth na beatha,
naomhóigín aonair
ag bogadh léi gan sos.

Is fadó ó shoin
atá na maidí lofa
na locaí briste,
na dolaí caite thall is abhus.

Táim ar mhí-threoir,
gan stiúir, gan maide eolais,
gan seolta arda
bán nó dubh nó buí

suaite ag taoidí,
ag rabhartaí anaithnide,
'om tharrac ó chéile
ag malairt córa is gaoithe.

Mé ag tógaint basóga uisce
síos go gunail
má thagann aon ólai
bead curtha go tóin poill

agus is fíor cad deir
pictiúr an phéintéara Chagall
le temps n'a pas de rive
is tú amuigh ar an dtoinn.

Ach tuigtear dom go bhfuil
i bhfad ó bhaile
faoi shleasaibh arda
tráigh mhín gheal gan baol.

Ní thagann aon dainséar ann
ó bhúrthaíl fhochaise
ná borradh mór
ó fheachtaí borba an tsaoil

is dá mb'áil le Dia
mé a sheoladh ann
bheinn buíoch dó.
Ní bheadh mo thuras in aistear

san eadarlinn, a leanaí,
Timuçin, Melissa
is an bhunóicín Ayşe
bíodh a fhios agaibh an méid seo

faid a mhairim beo; —
Cé go mb'fhéidir
gurb é an t-iarta an t-ancaire,
sibhse na clocha róid.

Cuireadh

Deir siad, i lár an ghairdín,
laistiar de bhrat ghlé bhán nóiníní,
de tháipéisí rós is bláth labhandair,
a gcumhracht ag snámh chughainn ar an leoithne

go bhfásann crann mór ard amháin.
Scaipeann sé scáth ar na ceithre harda
is tá fionnuaire ann ag tráth na nóna.
Seinneann a bhrainsí suantraí ceolmhar
bog braon, bog braon do leanaí cróga.

Is tair liom ann.
Cuir do bhéilín meala
síos ar mo bhéalsa.
Múch mé le póga
is fliuchfad le deora
áthais do leicne.

Dearmhad do chros
is an Críost a fuair bás air,
is dos na flatha fá raibh ár sean
roimh éag dó, cad ab áil linn?

An ollmháthair mhór

Maighdean is máthair, a bhuime, a bhuama adamhaigh,
tálfaidh tú orainn leacht ciardhubh do bhainne cín;
brúchtfaidh tú deannach an bholcáin aníos ó do scornach;
rúscfaidh tú boladh an dóite ó íochtar do chroí.

Is fada atáimid ar fán ó do dhlúthbharróg chraosach.
Aingil an uabhair sinn, thógamair túr Bábil
le cabhair na heolaíochta, do phreabamair ins na spéarthaibh
de léim, de thruslóg, de chosabacóid is níl

buataisí seacht léige ár gcoinsiasa i ndon coinneáil suas linn;
abhaic sinn in iompar, leanaí loitithe ag cur geáitsí
is cumaí daoine fásta orthu; ainmhithe sinn i mbréagriocht.
Ins an tigh amhas seo níl slacht ar ár ngníomhartha ná críoch.

Tá sciorta det fhallaing le feiscint ag íor na spéire.
Fillfidh tú orainn do chóta mór graoi den gcréafóig;
múchfar le póga sinn, fliuchfar le deora géara
na báistí searbha, a ghrúdamair féin dúinn féin.

110

An rás

Faoi mar a bheadh leon cuthaigh, nó tarbh fásaigh,
nó ceann de mhuca allta na Fiannaíochta,
nó an gaiscíoch ag léimt faoi dhéin an fhathaigh
faoina chírín singilíneach síoda,
tiomáinim an chairt ar dalladh
trí bhailte beaga lár na hÉireann.
Beirim ar an ghaoth romham
is ní bheireann an ghaoth atá i mo dhiaidh orm.

Mar a bheadh saighead as bogha, piléar as gunna
nó seabhac rua trí scata mionéan lá Márta
scaipim na mílte slí taobh thiar dom.
Tá uimhreacha ar na fógraí bóthair
is ní thuigim an mílte iad nó kiloméadair.
Aonach, Ros Cré, Móinteach Mílic,
n'fheadar ar ghaibheas nó nár ghaibheas tríothu.
Níl iontu faoin am seo ach teorainní luais
is moill ar an mbóthar go dtí tú.

Trí ghleannta sléibhte móinte bogaithe
scinnim ar séirse ón iarthar,
d'aon seáp amháin reatha i do threo
de fháscadh ruthaig i do chuibhreann.
Deinim ardáin des na hísleáin, isleáin de na hardáin
talamh bog de thalamh cruaidh is talamh cruaidh de thalamh bog, —
imíonn gnéithe uile seo na léarscáile as mo chuimhne,
ní fhanann ann ach gíoscán coscán is drithle soilse.

Chím sa scáthán an ghrian ag buíú is ag deargadh
taobh thiar díom ag íor na spéire.
Tá sí ina meall mór craorac lasrach amháin
croí an Ghlas Gaibhneach á chrú trí chriathar.
Braonta fola ag sileadh ón stráinín
mar a bheadh pictiúr den Chroí Ró-Naofa.
Tá gile na trí deirgeacht inti,
is pian ghéar í, is giorrosnaíl.

Deinim iontas des na braonta fola.
Tá uamhan i mo chroí, ach fós táim neafaiseach
faoi mar a fhéach, ní foláir, Codladh Céad Bliain

111

ar a méir nuair a phrioc fearsaid an turainn í.
Casann sí timpeall is timpeall arís í,
faoi mar a bheadh sí ag siúl i dtaibhreamh.
Nuair a fhéach Deirdre ar fhuil dhearg an laoi sa tsneachta
n'fheadar ar thuig sí cérbh é an fiach dubh?

Is nuair is dóigh liom gur chughat a thiomáinim,
a fhir álainn, a chumann na n-árann
is ná coinneoidh ó do leaba an oíche seo mé
ach mílte bóthair is soilse tráchta,
tá do chuid mífhoighne mar chloch mhór
ag titim anuas ón spéir orainn
is cuir leis ár ndrochghiúmar,
ciotarúntacht is meall mór mo chuid uabhair.

Is tá meall mór eile ag teacht anuas orainn
má thagann an tuar faoin tairngre
agus is mó go mór é ná meall na gréine
a fhuiligh i mo scáthán anois ó chianaibhín.
Is a mháthair abhalmhór, a phluais na n-iontas
ós chughatsa ar deireadh atá an spin siúil fúinn
an fíor a ndeir siad gur fearr aon bhlaise amháin de do phóigín
ná fíon Spáinneach, ná mil Ghréagach, ná beoir bhuí Lochlannach?

Maidin sa domhan toir

Is é an mochóirí is measa liom
agus is scanrúla san am chéanna;
uain is an saol ina thoirchim suain
faoi mar a bhí an rá ins na seanadhánta.
Gan réice ar shráid, gan leoithne bhog i gcrann,
spéir chraorag, bearradh iongan gealaí
is aon réilthín amháin gur furaist duit a ghéilleadh
go bhfaca an sabhdán óg, Mehmet a II
a leithéid de radharc i log fola i rian crúibe capaill
tráth ar pháirc an áir is go ndúirt
gurb é an bhratach san amháin a bheadh agena mhuintir
feasta, rud a bhí fíor is fós atá.

Meafar deoranta. Tá pollaí teileafóin
ag bagairt orm. Tá dainséar mór á thuar ag píolóin
leictreacha. Iad ag siúl go dásachtach thar ardchlár
Anatolia, árrachtaigh na seacht gceann,
na seacht mbeann is na seacht n-eireaball,
buataisí seacht léige orthu is spin siúil
i mo threo, ag fógairt catha, is deiliúsach leo
mé a theacht ag cothú mo leanbh
ina gcuid tailte. Is gairid go deo
go n-ardóidh an ceann is gaire dhúinn crann
ar nós buachalláin bhuí, is go mbeidh gach sleaip aige
thall is abhus is go dtabharfaidh sé drochúsáid dúinn.

Is cá bhfuil mo ghaiscíoch lonrach
a thiocfaidh i gcabhair orm,
a bhuailfidh smíste ar an gcuaille comhraic
is a dhéanfaidh brios bruan dó.
Fear a thuillfeadh a thuarastal i mbearna gacha baoil
is i gcéim gacha crua, is nach foláir
go bhfaigheadh é nó fios cén rascail
a choimeádfadh uaidh é. Fear faghartha na screabal
bhfairsing; fear cóir agus ceart a bhaint amach
is gan cóir gan ceart a thabhairt uaidh;
fear nár thit riamh i ndiaidh a thóna
is ná teithfidh nó go dteithfidh na turtóga.

113

Ní foláir ag teacht ar an saol so
go rabhas róchraosach; gur roghnaíos
an bhullóg mhór is mallacht mo mháthar
in ionad na bullóige bige is a beannacht,
gur dhiúltaíos brúscar nó bráscar nó tóin dhóite
an aráin dhuibh a thabhairt don éinín sciotaithe
is cuma na scríbe uirthi a bhuail liom ag an dtobar
nó do chú na coise leointe le tabhairt dá coileánaibh
a bhí i bpoll an chlaí le ráithe, ar an gcaoi
sin nár shíneas láimh fóirithinte ar ainmhithe
an fhochonsiasa, a tháinig ag lorg déirce
is ina éiric san a shaorfadh mé.

Mar anseo ar maidin ar an ardchlár lom seo
níl agam fiú spideoigín bhruinndhearg de mhuinntir Shúilleabháin
a labharfadh go dána ó thurtóg aitinn lámh liom
is a ardódh mo mheanma láithreach;
a chuirfeadh i gcuimhne dhom gur fada anseo mé
ó mo mhná caointe nó sínte nó ó éinne eile
de mo mhuintir a leathfadh soipín tuí
ar mo shúile ós na préacháin, is cuimhneamh
ar conas mar a mharaíonn siad na caoirigh in Éirinn
is é a mharú ar an gcuma san. Faraoir, níl einín beag
ar bith nó fiú tor a aithním; táim ar fóraoil
go huile is go hiomlán, fiú ós na haircitípeanna coitianta.

114

116